Chère lectrice,

La demande en mariage, autrefois, se faisait davantage aux parents de la jeune fille qu'à la future mariée elle-même. Aujourd'hui, la tradition veut que le jeune homme s'agenouille devant sa belle et lui offre une bague de fiançailles pour lui demander sa main. Mais les conventions sont faites pour être bousculées, et chacun peut inventer sa façon d'interpréter ce grand classique qu'est la demande en mariage. Ainsi les femmes, aussi bien que les hommes, peuvent-elles choisir d'en prendre l'initiative… Et surtout, il n'y a pas de recette. C'est ce que vous découvrirez grâce aux héros et héroïnes de ce mois-ci qui, dans *Une célibataire à marier* (n° 2010), *Passion à Red Rose* (n° 2011), *La princesse et son garde du corps* (n° 2012), *Une maman à aimer* (n° 2013) et *Une bonne étoile* (n° 2014), pour bien commencer l'été… décident de se marier !

Bonne lecture !

La responsable de collection

Une célibataire à marier

NICOLE BURNHAM

Une célibataire
à marier

COLLECTION HORIZON

*éditions*Harlequin

*Cet ouvrage a été publié en langue anglaise
sous le titre :*
ONE BACHELOR TO GO

Traduction française de
CAROLE PAUWELS

HARLEQUIN®

est une marque déposée du Groupe Harlequin
et Horizon® est une marque déposée d'Harlequin S.A.

Originally published by SILHOUETTE BOOKS,
division of Harlequin Enterprises Ltd.
Toronto, Canada

1.

— Emily ! Il faut que je vous parle.

Son gobelet de café à la main, Emily Winters s'arrêta en grimaçant devant le bureau de Carmela Lopez. Elle n'avait pas besoin de consulter sa montre pour savoir que quatorze employés de Wintersoft l'attendaient pour la réunion hebdomadaire de stratégie de vente.

— Je n'ai qu'une minute, Carmela.

Or l'assistante de son père, qui connaissait les secrets de chacun et toutes les rumeurs qui couraient dans les couloirs de l'entreprise, se contentait rarement d'une minute.

— C'est très important.

Emily tourna la tête vers le bureau de son père, Lloyd Winters. Au son de sa voix, elle en déduisit qu'il tentait toujours de régler le problème qui l'avait occupé toute la semaine.

Baissant le ton, elle reporta son attention sur Carmela.

— Je suppose que cela n'a rien à voir avec le souci que nous pose le distributeur ?

Un regard de Carmela suffit à lui faire comprendre la situation.

— Je croyais que nous étions d'accord pour renoncer à poursuivre notre plan, dit-elle d'un ton de conspirateur.

Puis elle jeta de nouveau un œil vers son père pour s'assurer qu'il était toujours occupé par sa conversation.

— Je sais combien il tient à ce que j'épouse un cadre de l'entreprise, au point d'ailleurs qu'il encourage derrière mon dos mes collègues à m'inviter à dîner. Mais puisque nous avons réussi à caser tous les célibataires…

— Sauf Jack Devon.

— Sauf lui, je sais.

Emily se retint de lever les yeux au ciel. Le simple fait de mentionner le nom de cet homme la mettait hors d'elle. Jamais Carmela et elle ne parviendraient à lui trouver une fiancée.

Non seulement il était en droit de faire la fine bouche depuis qu'il avait été élu l'un des cinquante célibataires les plus séduisants de la ville par le *Boston Magazine*, mais, de plus, il préservait jalousement sa vie privée.

Toutefois, dans la mesure où il n'y avait aucune chance que Jack l'invite à dîner, malgré tout le pouvoir de persuasion de son père, elle n'avait pas à s'inquiéter. Le mois dernier, elle avait entendu Jack parler à Lloyd lors d'une réception que celui-ci avait organisée, et il avait eu le toupet — devant son propre père — de la traiter de gosse de riche trop gâtée.

Et le pire, c'était que, au lieu de la défendre, son père avait ri. Ce qui prouvait à quel point il désespérait de lui trouver un mari.

— C'est justement de Jack Devon que nous devons parler, murmura Carmela. Et avant la réunion.

Tout à coup, elle éleva la voix.

— Pouvez-vous me rendre un service, Emily ?

Brett Hamilton, le directeur export de Wintersoft, venait de passer devant le bureau de Carmela pour aller chercher un café, et elle avait eu la présence d'esprit de donner le change.

— Vous avez besoin de quelque chose, Carmela ? demanda-t-il avec ce léger accent anglais qui faisait tout son charme.

— Non, merci, Emily s'en occupe.

Il passa son chemin et Carmela adressa un clin d'œil à Emily.

— Suivez-moi, dit-elle.

Elle se rua dans le couloir desservant d'un côté les bureaux des cadres, et de l'autre un vaste pôle administratif qui regroupait une myriade de secrétaires.

Poussant la porte des toilettes, elle s'assura que les boxes étaient vides et prit une profonde inspiration.

— Je sais que vous n'avez jamais été très à l'aise avec l'idée de trouver des fiancées pour nos différents célibataires...

— Je n'aime pas beaucoup me mêler de la vie privée des autres. C'est plutôt indélicat. Et puis j'ai autre chose à faire.

Comme assister à une réunion commerciale, par exemple.

— Je sais bien. Mais nous n'avions pas vraiment d'autre choix. Vous n'ignorez pas ce qui se serait passé si nous avions laissé Lloyd n'en faire qu'à sa tête. J'imagine que vous n'avez pas oublié votre mésaventure avec Todd Baxter ?

Les yeux d'Emily se voilèrent de tristesse.

— Je préférerais qu'on évite de parler de lui. Quant au reste...

Elle se pencha vers la porte pour s'assurer que personne n'approchait.

— Je reconnais que notre plan a fonctionné à merveille jusqu'ici. Grâce à nous, cinq couples vivent le grand amour. Mais je crois que nous devrions nous en tenir là. Si quelqu'un découvrait ce que nous avons fait…

— Justement ! C'est de cela que je voulais vous parler. Je crois que Jack est au courant de tout.

Emily posa avec une telle violence son gobelet sur le plan de marbre vert qui entourait les lavabos qu'elle s'aspergea la main de café.

Quelle catastrophe ! N'importe qui, mais pas Jack !

— C'est vrai ? Mais comment est-ce possible ? Je sais qu'il suspecte quelqu'un d'avoir fouillé dans les dossiers du personnel, mais il ne peut avoir aucune preuve que…

— Votre père veut vous voir dans son bureau à 10 heures. Il a beaucoup insisté pour que la réunion ne s'éternise pas.

Une lueur d'inquiétude traversa le regard d'ordinaire si paisible de Carmela.

— Il a dit que c'était très important.

Emily versa le reste de son café dans le lavabo avant de jeter le gobelet, puis elle se lava les mains et jeta un coup d'œil à sa montre. Heureusement, son détour ne l'avait pas mise trop en retard. Elle n'était directrice générale adjointe que depuis un an, et elle ne voulait en aucun cas donner prise à la critique.

— Carmela, je suis sûre que vous vous faites des idées. Vous devriez savoir que mon père adore me convoquer pour un oui ou pour un non. Et tout est toujours important à ses yeux.

Les boucles de Carmela dansèrent autour de son visage tandis qu'elle secouait la tête.

— Non, c'est différent, cette fois. Jack est arrivé très tôt ce matin. Il s'est rendu directement chez votre père et l'a attendu avec une impatience visible. Au ton de leurs voix, la conversation avait l'air animée, et c'est Jack qui a exigé une réunion à trois le plus vite possible.

Emily s'efforça de ne pas se laisser gagner par la panique.

— Mon père était au téléphone avec notre nouveau distributeur quand je me suis arrêtée devant votre bureau tout à l'heure. C'est peut-être en rapport avec ce contrat.

— Je ne sais pas... J'ai un mauvais pressentiment.

Un pli soucieux apparut sur le front de Carmela.

— Si Lloyd apprend mon rôle dans cette histoire, j'en mourrai de honte.

Emily lui passa un bras autour des épaules.

— N'ayez crainte, j'en assumerai l'entière responsabilité.

Après vingt-cinq ans passés comme assistante de Lloyd, Carmela connaissait la famille mieux que personne. Et depuis la mort de sa mère, survenue dix ans plus tôt, elle était devenue une confidente et une amie pour Emily.

— Faites attention, murmura Carmela.

— J'essaierai.

Mais malgré son apparente sérénité, elle était inquiète.

Avec Jack Devon dans les parages, elle avait tout intérêt à se tenir sur ses gardes.

*
* *

— Assieds-toi, Emily. Jack vient de m'apprendre quelque chose de tout à fait surprenant.

Emily se tenait sur le seuil du vaste bureau de Lloyd Winters, dont les immenses baies vitrées surplombaient le quartier d'affaires de Boston.

Le regard de son père fixa un point au-dessus son épaule, puis revint se poser sur son visage.

— Tu ferais mieux de fermer la porte pour ne pas déranger Carmela.

Oh, non !

La gorge d'Emily se serra. Peut-être Carmela avait-elle raison après tout.

Elle se tourna pour fermer la porter et adressa à la secrétaire de son père un regard qui se voulait rassurant. Puis, un sourire plaqué sur ses lèvres, elle traversa la pièce au sol parqueté d'acajou et prit place dans l'un des profonds fauteuils de cuir qui faisaient face au bureau.

Jack était déjà installé — il était apparemment arrivé bien avant elle — et elle prit soin de se tenir le plus loin possible de lui.

— Je t'écoute, dit-elle.

Lloyd fit un geste vers Jack, qui se tourna vers Emily, le regard aussi brillant d'excitation qu'un enfant prêt à révéler un incroyable secret.

— La semaine prochaine, une conférence très importante doit se tenir à Reno. Je suppose que vous en avez entendu parler ?

Evidemment ! Que croyait-il ?

— Vous voulez parler de la conférence qui a lieu dans le cadre de l'organisation mondiale des services financiers ? répondit-elle.

— C'est exact, intervint Lloyd. Jack pense — et je le pense aussi — que vous devriez y aller tous les deux.

Tous les deux ? La dernière chose qu'elle attendait de cette réunion, c'était bien de se voir offrir un billet d'avion. Surtout pour voyager en compagnie de Jack !

Emily enveloppa son père d'un regard étonné.

— Nous avons reçu la documentation depuis plus d'un mois. Quand j'ai appelé, on m'a dit que tous les stands étaient déjà réservés. Je ne vois pas ce que nous pourrions y faire, à part essayer de prendre quelques contacts.

— C'était aussi ce que je pensais, rétorqua Jack. Mais hier soir, alors que je m'apprêtais à jeter les brochures, j'ai eu l'idée d'appeler pour nous inscrire aux conférences. C'est là que j'ai appris qu'un exposant avait annulé. Je sais que cela nous laisse très peu de temps pour nous préparer, mais je crois que nous ne pouvons pas laisser passer cette chance. La plupart de nos concurrents seront présents, dont Acton Software, et je ne serais pas mécontent de leur souffler quelques clients.

— Je crois en effet qu'il faut sauter sur l'occasion, affirma Lloyd. Où en est ton planning, Emily ?

— Je m'arrangerai.

Evidemment, cela signifiait qu'elle allait devoir travailler un nombre incalculable d'heures supplémentaires durant la semaine pour tout préparer, et la perspective de passer cinq jours en compagnie de Jack dans l'espace confiné d'un stand commercial ne l'enchantait guère.

Mais, au moins, elle aurait ses nuits pour elle. Grâce au ciel, elle pourrait décompresser tous les soirs dans la quiétude de sa chambre d'hôtel.

— Très bien, déclara Lloyd.

Il décrocha son téléphone et demanda à Carmela de les rejoindre.

Lorsque celle-ci entra, Emily vit que sa nervosité n'échappait pas à Jack.

Lloyd se pencha au-dessus de son bureau et fouilla dans une pile de dossiers avant d'en extirper les brochures pour le salon.

— Emily et Jack doivent se rendre à Reno la semaine prochaine. Vous vous occuperez de leur réserver des billets d'avion.

Carmela prit les papiers et y jeta un regard.

— Et pour l'hôtel ?

— C'est inutile. Ils résideront au chalet.

Emily sursauta, en proie à un curieux pressentiment.

— Vous ne pensez pas qu'il serait préférable de rester en ville ? protesta Jack.

Lloyd secoua la tête, l'air plus déterminé que jamais.

— Je sais que le chalet est à quarante-cinq minutes en voiture de Reno, mais il est pourvu des derniers équipements informatiques, et j'ai déjà fait charger le prototype de notre nouveau logiciel au cas où vous voudriez vérifier certains détails pour votre présentation. Vous pourrez me faire un rapport tous les matins avant de partir pour le salon et, en cas de besoin, je saurai où vous joindre. En outre, je ne tiens pas à ce que vous utilisiez les infrastructures de l'hôtel, alors que les gens d'Acton seront dans les parages.

Emily cilla.

— Tu veux que nous nous installions à Tahoe ? *Ensemble ?*

Evidemment, son père avait raison. Leur résidence d'hiver était dotée de tout le confort dont on pouvait rêver, et de ce qui se faisait de mieux en matière de technologie. Mais de là à y faire un séjour avec Jack...

Le salon les occuperait durant la journée, mais il n'y aurait pas grand-chose à faire le soir. Et cela laisserait à Jack tout le temps de lui poser des questions. S'il avait vraiment des soupçons sur elle ou sur Carmela, il pourrait l'interroger tout à loisir...

Et, même si ce n'était pas le cas, elle n'était pas sûre de pouvoir passer cinq jours et cinq soirées avec un homme aussi séduisant.

C'était à se demander si l'insistance de son père n'avait pas plus à voir avec l'espoir que sa fille tombe amoureuse du dernier cadre célibataire de son entreprise qu'avec une simple question d'ordre pratique.

— Vous serez beaucoup plus à l'aise à la maison, insista Lloyd.

A cet instant, son sourire machiavélique suffit à faire comprendre à Emily qu'elle avait vu juste.

— Et puis, ne m'as-tu pas dit la semaine dernière que nous devions faire des économies sur les frais de déplacements ? Cela nous évitera le coût de deux chambres d'hôtel, les frais d'utilisation des installations informatiques, le téléphone, le service d'étage...

— Très bien, admit-elle, peu désireuse de se disputer avec son père devant Jack et Carmela. Je suppose que le pick-up nous attendra à l'aéroport, afin que nous n'ayons pas à louer de voiture ?

— Evidemment. Je suis sûr que les Wilbur se feront un plaisir de le laisser là-bas, répondit Lloyd, en faisant allusion au couple de gardiens qui prenait soin du chalet

15

quand il était à Boston. Je veillerai aussi à ce qu'ils contrôlent la réserve de bois, remplissent le réfrigérateur et s'occupent de tous les autres détails.

— Je les appelle, proposa Carmela.

D'un regard, elle fit comprendre à Emily qu'elle allait également tout mettre en œuvre pour contrecarrer les plans de Lloyd, puis elle retourna à son poste.

— Eh bien, tout est réglé, trancha Lloyd. Je compte sur vous pour mener la vie dure à Acton.

Emily adressa un signe de tête à son père et sortit à son tour. Le travail n'allait pas manquer dans les jours à venir pour préparer le salon — son premier en tant que cadre. Quentin Kosta, son prédécesseur, consacrait trois à quatre semaines à ce genre d'événement. Heureusement, elle connaissait parfaitement leur dernier logiciel. Et si le charme de Jack fonctionnait aussi bien sur les salons qu'au bureau, les nouveaux clients allaient affluer.

Une semaine avec Emily Winters. Seuls.

Jack referma la porte de son bureau et laissa échapper un juron. Il avait complètement oublié que son employeur possédait, à moins d'une heure de Reno, un chalet digne de figurer dans un magazine de décoration. S'il avait pu se douter que Lloyd insisterait pour qu'ils s'y installent tous les deux, sans doute ne lui aurait-il même pas proposé de participer au salon.

Avec un soupir, il ôta sa veste noire et l'accrocha à la patère fixée derrière la porte. Non, il savait que c'était faux. Wintersoft devait être présente à cette manifestation. C'était la seule façon d'empêcher Acton de leur enlever des clients, au nombre desquels se trouvaient les plus grandes entreprises financières du monde. Il avait consacré un temps fou à convaincre les investisseurs que la nouvelle version de leur logiciel ferait économiser aux clients de Wintersoft des centaines d'heures de travail par an, et révolutionnerait leur façon de travailler. Et il devait maintenant en assurer honorablement la commercialisation pour leur prouver qu'ils n'avaient pas misé en vain sur lui.

Il restait à espérer qu'Emily ne soit pas totalement incompétente. Chacun dans l'entreprise savait qu'elle ne devait son poste de directrice générale adjointe qu'à son père. Et, même si ses études à Harvard l'avaient préparée à un poste administratif, rien ne prouvait qu'elle eût les qualités commerciales nécessaires pour négocier lors d'un salon.

Quoi qu'il en soit, il aurait tout intérêt à garder un œil sur elle et à traiter lui-même avec les clients potentiels. Mieux valait mettre toutes les chances de leur côté.

Après avoir jeté un regard à son téléphone portable pour voir s'il avait un message, il se tourna vers la fenêtre.

L'aspect professionnel de ce voyage n'était pas ce qui l'inquiétait le plus. Non, ce qu'il craignait, c'était de se retrouver seul avec Emily. Il y avait quelque chose chez elle qui le plaçait sur la défensive. Et puis, ces derniers temps, il avait remarqué qu'elle l'observait à la dérobée. Il se demandait même si elle n'avait pas consulté son dossier personnel. Pour quelle raison ? Il n'en avait pas la moindre idée. De toute façon, il n'avait pas vraiment de souci à se faire, dans la mesure où les documents ne contenaient aucun renseignement important.

Mais, si son intuition était la bonne, Emily mettrait probablement à profit les heures passées au chalet, ou à faire des allers-retours en voiture, pour lui tirer les vers du nez.

Et il n'était pas sûr de pouvoir résister longtemps à son charme.

Même s'il lui en coûtait de l'admettre, Emily était tout à fait le genre de femme qui l'attirait — et qu'il ne pouvait pas avoir. Echaudé par le mariage désastreux de ses parents, il n'avait en effet aucune envie de s'engager. Et, selon toute vraisemblance, Emily n'était pas du tout le genre de femme à se contenter d'une aventure.

Il étira les bras au-dessus de sa tête puis se passa les mains dans les cheveux, dans l'espoir de s'éclaircir l'esprit.

Une simple attirance physique, voilà de quoi il s'agissait. Le désir perturbait son jugement. Depuis quand n'avait-il pas tenu dans ses bras une femme intelligente, capable de lui tenir tête ?

Depuis quand n'avait-il pas tenu dans ses bras une femme, tout court ?

Il appuya son front contre la vitre et contempla Milk Street, cinquante étages en contrebas. Puis, relevant la tête, il dirigea son regard vers le sud, dans la direction de Quincy Shipyards, et songea à tout ce qu'il avait laissé derrière lui.

Aujourd'hui, il avait tout ce qu'il pouvait désirer dans la vie, sauf quelqu'un avec qui partager sa réussite. Mais c'était mieux ainsi. Il s'était donné beaucoup de mal pour en arriver là, et il n'allait pas tout gâcher à cause de sentiments de solitude ou de désir tout à fait incongrus.

Il ne pouvait pas se permettre de céder à son attirance pour une femme qui était totalement différente de lui.

18

Mais surtout, il ne devait laisser personne fouiller dans sa vie.

Si jamais Emily découvrait la vérité sur son passé, il savait qu'il pouvait tirer un trait sur sa carrière.

2.

Les talons d'Emily résonnaient sur le linoléum tandis qu'elle traversait d'un pas décidé le hall d'exposition pour rejoindre Jack sur leur stand.

Ils étaient arrivés à Reno depuis trois heures mais, au lieu de se rendre directement au chalet pour déposer leurs bagages et se rafraîchir, ils avaient décidé de passer voir comment leur stand était installé.

Emily avait suggéré ce détour pour éviter de se retrouver seule avec Jack, et cette tactique leur avait finalement été salutaire. En effet, le personnel du salon n'avait pas connecté les ordinateurs comme il fallait et une des parois du stand menaçait de s'écrouler. Il n'avait pas fallu longtemps pour trouver une équipe capable de refixer la cloison, mais le système informatique était toujours en panne.

— Vous avez trouvé un câble ?

Jack lança un regard plein d'espoir au sac en plastique qu'Emily tenait à la main.

— Oui. Je suis allée à la boutique qui a fait l'installation informatique chez mon père. J'étais presque sûre qu'ils en auraient.

21

Le front soucieux, elle observa l'écran géant relié à un micro-ordinateur.

— Je me demande où est passé le câble que Carmela a envoyé. Je l'ai pourtant vue le joindre au matériel à expédier.

— Je ne serais pas surpris que quelqu'un l'ait emprunté, grommela Jack.

Il se glissa sous une table pour faire le branchement, et Emily s'obligea à détourner les yeux de ses fesses merveilleusement proportionnées. Oui, il était l'homme le plus séduisant et le plus magnifiquement bâti qu'elle ait jamais rencontré. Il se dégageait de lui une extraordinaire vitalité, une force virile qui mettait ses nerfs à rude épreuve. Mais elle n'était pas une adolescente énamourée. Elle pouvait se contrôler.

Pendant le vol reliant Boston à Chicago, Jack avait dormi, ce qui avait évité à Emily de se creuser la tête pour lui faire la conversation. Puis, durant le transfert de Chicago à Reno, ils s'étaient concentrés sur le travail. En commerciaux avertis, ils avaient révisé leurs arguments de vente, et ils s'étaient préparés aux questions que ne manqueraient pas de leur poser les clients potentiels sur les points forts de leur produit par rapport à celui d'Acton. Cependant, si une mise au point de dernière minute n'était jamais inutile, ils étaient prêts depuis plusieurs jours et ils le savaient tous les deux. Cette révision avait pour but essentiel de maintenir leurs relations sur un plan strictement professionnel.

Les choses étaient bien différentes maintenant, dans le hall d'exposition désert, et jamais Emily n'avait été aussi consciente de la présence de Jack.

Et, à en juger par l'attention excessive qu'il accordait aux branchements informatiques, il était également sensible à la sienne.

Pourquoi se comportait-il ainsi alors qu'il semblait très à l'aise avec les autres membres de l'entreprise — et, à en croire le *Boston Magazine*, avec la population féminine de la ville ? Si c'était à cause des dossiers, il n'avait qu'à en parler et tourner la page. Mais s'il était troublé par elle, alors elle préférait ne pas le savoir. En effet, même si elle ne pouvait nier qu'il fût fascinant, avec son visage dur, ses épais cheveux noirs et ses yeux gris à l'expression cynique, elle s'était toujours juré de ne jamais avoir de liaison sur son lieu de travail.

— Je crois que ça y est, déclara Jack, en émergeant de sous la table. Vous pouvez essayer ?

Emily mit l'ordinateur en marche, cliqua sur l'icône de Wintersoft, et pesta intérieurement contre la lenteur du système. Puis elle entra son mot de passe et la page d'accueil s'ouvrit. Elle n'eut plus alors qu'à cliquer sur « commencer ».

Derrière elle, sur un écran assez large pour attirer l'attention des passants, la même image apparut, et Jack poussa un cri de victoire.

— Formidable, déclara-t-elle. Pourvu que ça marche demain matin.

— Ne soyez pas pessimiste.

Jack épousseta les genoux de son pantalon noir et jeta un regard étonné autour de lui.

— On dirait qu'il n'y a plus personne à part nous.

Emily hocha la tête, puis elle éteignit l'ordinateur.

— Et si nous en profitions pour jeter un œil sur le stand d'Acton ? proposa-t-elle.

23

— Pourquoi pas ?

Bien que le stand soit beaucoup plus grand que le leur, et visuellement très attractif, il leur sembla que Wintersoft avait fait plus d'efforts sur la documentation commerciale. Et, d'après l'expérience d'Emily, la clientèle de financiers qui était la leur préférait une information précise et claire à une mise en scène grandiloquente.

— Et si nous dînions en ville ? proposa Jack. Je suppose qu'il y a de bons restaurants dans le coin.

Emily passa mentalement en revue les différentes options qui se présentaient et les écarta une à une.

Le restaurant Art Gecko n'était pas très loin, mais il fallait réserver. Il y avait une taverne dans le quartier de Silver Legacy, mais l'endroit serait enfumé et noir de monde à cette heure de la soirée. Quant à son restaurant préféré, le Roxy Bistro, il se trouvait juste de l'autre côté de la rue, mais l'ambiance y était beaucoup trop romantique.

Tout bien réfléchi, mieux valait affronter le supplice du trajet en voiture et en finir.

— Il est tard, déclara-t-elle. Et avec cette neige, il est plus prudent de regagner le chalet avant qu'il ne fasse nuit. Comme ça, nous pourrons nous reposer en prévision de demain. Et puis, je suis sûre que les Wilbur ont rempli le réfrigérateur à craquer.

Jack s'empressa d'acquiescer.

— De toute façon, je suppose que la plupart des restaurants sont installés au cœur des casinos, remarqua-t-il, et je suis trop fatigué pour supporter le bruit et la foule.

Contre toute attente, le trajet se déroula dans une atmosphère détendue et, puisque Jack ne connaissait pas la région, Emily en profita pour jouer les guides touristiques. Mais lorsqu'elle quitta la voie rapide pour s'engager sur une route secondaire de plus en plus étroite et sinueuse, elle sentit la tension monter entre eux. Son refuge, l'endroit où elle s'était terrée après son divorce, ne lui apparaissait plus comme un nid douillet où elle pouvait s'évader du stress des grandes villes. La simple présence de Jack, et l'impression de force virile qui se dégageait de lui, suffisaient à faire paraître exiguë la plus vaste des demeures.

Après un dernier tournant, le lac apparut, et elle le longea pendant quelques centaines de mètres avant de s'engager dans une allée simplement signalée par deux piliers de granit et bordée de pins sombres, presque noirs sous leur manteau de neige.

— Vous devez vous plaire dans cet endroit, remarqua Jack, tandis qu'elle arrêtait le pick-up rouge devant un portail.

Emily baissa la vitre et composa le code pour déclencher l'ouverture des portes.

— En effet. Vous allez adorer la vue. On peut voir le lac depuis presque toutes les pièces de la maison.

— Ce doit être spectaculaire.

Quelques minutes plus tard, Emily déverrouillait la porte d'entrée, posait ses bagages dans le hall, et faisait signe à Jack de la suivre.

Elle prit une profonde inspiration et s'emplit les narines de l'odeur familière de cire, de bois et de cuir qui régnait dans la maison. Bien des fois, elle avait délaissé sa chambre au profit des profonds canapés de cuir fauve du salon, et avait passé des nuits à boire du chocolat chaud devant la cheminée, le regard perdu vers le lac.

— C'est encore plus impressionnant que je l'imaginais, remarqua Jack.

Emily se tourna vers lui et lui sourit.

— Vous voulez que je vous fasse visiter ?

Comme Jack hochait la tête, elle eut un grand geste du bras pour désigner le hall.

— Voici l'entrée. Comme vous le voyez, on entre au deuxième étage car la maison est bâtie à flanc de colline.

Elle fit quelques pas et ouvrit une porte de chêne patiné. Mais elle n'entra pas dans la pièce. Se trouver dans la même chambre que Jack, même dans le cadre d'un déplacement professionnel, serait beaucoup trop perturbant.

— Voilà votre chambre. Il y a également une salle de bains privative.

Jack passa devant elle pour entrer dans la pièce et posa sa valise.

Après avoir ôté son manteau, il passa la tête dans l'embrasure de la salle de bains et caressa l'épais tissu-éponge du peignoir qui l'y attendait.

— C'est mieux qu'au Ritz, constata-t-il.

Puis il balaya la chambre du regard, admirant au passage le bureau d'acajou et l'énorme lit qui faisaient face à une large baie vitrée ouvrant sur le lac.

— Ma chambre est là, dit Emily, en désignant une porte de l'autre côté du hall.

Ces mots à peine prononcés, elle s'en voulut. Elle n'avait pas du tout envie qu'il sache où se trouvait sa chambre. Mais avant qu'elle ait pu l'arrêter, il s'était emparé de ses bagages et les avait transportés dans la pièce.

Là encore, elle se tint sur le seuil.

26

— Elle ressemble beaucoup à la vôtre, déclara-t-elle.
Puis elle désigna l'escalier qui desservait le salon.

— Je vais vous montrer le reste de la maison.

Tandis qu'il lui emboîtait le pas, Jack admira le large escalier de chêne. Il déboucha ensuite dans une pièce immense, et resta bouche bée devant la monumentale cheminée à foyer ouvert placée au centre du salon, lequel était éclairé d'un côté par un mur de baies vitrées. Sur la gauche, une cuisine ouverte pourvue de placards en chêne clair accueillait un immense fourneau en Inox et un réfrigérateur dernier cri. Un comptoir au plateau de granit beige séparait la cuisine du coin séjour, où une longue table entourée de huit chaises permettait aux invités de prendre leurs repas face au lac. Dans un angle, une porte coulissante ouvrait sur un balcon dont le dessous effleurait la cime des pins enneigés plantés en contrebas de la colline.

— L'architecte de votre père est un génie, s'extasia Jack. Grâce à ces baies vitrées, on a vraiment l'impression d'être dehors, mais sans souffrir du froid.

Il admira un moment la vue, avant de pivoter sur sa droite, où cinq marches conduisaient dans le salon meublé de profonds canapés de cuir et d'un piano à queue, sur le dessus duquel étaient disposées des photographies d'Emily et de sa famille. Tout au fond, un coin bureau accueillait ce qui se faisait de mieux en matière d'équipement informatique.

— Je comprends pourquoi votre père a insisté pour que nous séjournions ici. Nous n'aurions jamais rien trouvé de semblable dans un hôtel.

Ignorant la remarque de Jack, Emily s'absorbait dans la contemplation du paysage. Le soleil se couchait et l'obscurité recouvrait déjà les contreforts des collines qui environnaient le lac. Mais les faîtes enneigés des pins baignaient encore dans une lumière flamboyante. De l'orange aveuglant au rose le plus délicat, le ciel s'embrasait au-dessus de l'immensité du lac étincelant de mille reflets.

La scène était d'un romantisme absolu, et son père le savait très bien.

Emily se tourna soudain vers Jack.

— Mon père ne fait jamais rien sans y avoir longuement réfléchi.

— J'ose croire, dans ce cas, qu'il a pensé à faire remplir le réfrigérateur. Je n'ai rien mangé depuis cet abominable sandwich dans l'avion, et je meurs de faim.

— Moi aussi.

Connaissant son père, il avait probablement demandé aux Wilbur de prévoir du champagne et des chocolats.

Emily se dirigea vers le réfrigérateur et ouvrit la porte recouverte d'Inox.

— Mme Wilbur, notre employée de maison, nous a laissé un pot de sauce tomate maison, et une fricassée, annonça-t-elle.

Elle écarta une botte d'asperges, un sachet de pommes et une bouteille de vin blanc pour attraper le Post-it collé sur le plat et sourit en déchiffrant l'écriture familière de Mme Wilbur.

— Elle dit qu'elle n'a pas pu résister à l'envie de nous cuisiner un vrai repas.

Jack contourna le comptoir de granit et s'y appuya, dans une posture nonchalante.

— Elle s'occupe de la maison quand vous êtes à Boston ?

28

— Oui. Elle est formidable. Son mari aussi.

Emily proposa à Jack un soda, en prenant soin d'ignorer le vin. Elle s'était trompée au sujet du champagne. Mais de peu.

— Que fait-on, alors ? On réchauffe la fricassée ?

— Il vaudrait peut-être mieux la garder pour demain. Après une journée complète sur le stand, nous aurons bien besoin de reprendre des forces. Mais, puisqu'elle nous a laissé de la sauce tomate, je peux faire des spaghettis.

— Vous avez l'intention de cuisiner pendant notre séjour ?

— Et pourquoi pas ? D'ailleurs, je compte bien vous demander de mettre la main à la pâte.

Son regard tomba sur une boule de pain de campagne posée dans un panier sur le comptoir.

— Vous vous sentez capable de nous préparer du pain à l'ail ?

— Ça devrait être possible.

Emily prit un paquet de pâtes dans un placard, chercha une casserole et la remplit d'eau.

Tout en allant et venant dans la cuisine, elle se demandait combien de temps encore elle parviendrait à parler de choses et d'autres, en évitant Wintersoft et les dossiers qu'elle avait consultés. Mais Jack lui tendit une perche.

— Vous avez dû avoir une enfance formidable, remarqua-t-il.

Se faisait-elle des idées, ou sa voix contenait-elle vraiment une note d'envie ?

Elle lui tourna le dos, et mit l'eau à bouillir.

— Qu'est-ce qui vous fait dire ça ?

— Cet endroit. Votre père ne l'aurait pas fait construire s'il n'avait pas eu l'intention d'y passer beaucoup de temps avec sa famille. Il n'y a que deux chambres, ce n'est pas le chalet de montagne type, où on essaie d'entasser le plus de gens possible dans le moins d'espace possible. Les photos dans le salon constituent également un indice de choix. La plupart des gens ne prennent pas le temps de personnaliser leur maison de vacances. Ils la considèrent juste comme une sorte d'hôtel.

Comme elle se tournait pour chercher une passoire, Emily vit qu'il avait cessé de trancher le pain et gardait les yeux fixés sur le piano.

— Vous avez beaucoup de chance, ajouta-t-il.

Son intonation se voulait désinvolte, mais ses yeux gris trahissaient une peine secrète.

Aussitôt, Emily éprouva le besoin de se justifier.

— Mon père dirigeait une banque d'affaires quand j'étais enfant. Il travaillait énormément et, même quand nous étions en vacances dans notre maison de Cape Cod, ses clients s'attendaient à ce qu'il prenne tous leurs appels et soit prêt à sauter dans une voiture sur un simple claquement de doigts. Mais quand nous avons commencé à venir skier dans la région, ils ont compris qu'il ne pouvait pas rentrer aussi facilement à Boston. Très vite, les coups de fil ont cessé et mon père a réalisé que c'était l'endroit idéal pour y construire une résidence secondaire. En venant ici, c'était un peu comme s'il leur adressait un message...

— « Ne pas déranger » ?

— Exactement. Nous avons commencé par passer les vacances de Noël ici, puis une semaine en été. Plus quand il pouvait s'échapper.

Elle ne put s'empêcher de rire.

— Evidemment, mon père n'a jamais réussi à se couper entièrement de la civilisation. Il serait perdu sans ses gadgets.

Jack finit d'étaler du beurre aillé sur les tranches, reconstitua le pain qu'il emballa dans une feuille d'aluminium, et fit signe à Emily d'ouvrir le four.

— Et voilà, déclara-t-il. Le fameux pain à l'ail de ma mère. Qu'il ne soit pas dit qu'une irlandaise ne peut pas réaliser une recette italienne !

Emily dissimula à grand-peine sa surprise. Durant le temps qu'elle avait passé avec Jack au bureau, elle ne l'avait jamais entendu parler de sa famille. Et voilà que, en une phrase, il lui donnait tout à coup plus d'informations que Carmela et elle n'étaient parvenues à en réunir en un mois.

— Vous êtes proche de votre mère ?

Il haussa les épaules et se dirigea vers l'évier pour se laver les mains.

— Elle vit en Floride, maintenant.

— Mais quand vous étiez enfant ?

— Oui, évidemment. Carmela m'a dit que la vôtre était formidable.

— En effet.

Bien qu'elle les ait quittés depuis près de dix ans, Emily pensait encore à sa mère chaque jour. Et elle ne pouvait traverser la maison sans remarquer les petites touches que celle-ci y avait laissées. Le tableau représentant un couple de danseurs de tango qu'elle avait rapporté d'Argentine, l'étagère à épices qu'elle n'avait pu s'empêcher d'acheter pour la cuisine, les tapis, les meubles…

Elle réalisa tout à coup que Jack avait changé de sujet et revint à la charge.

— Et votre père ?

— Il est mort depuis plusieurs années.

— Oh, je suis désolée.

— C'est sans importance.

Il tourna la tête vers la cuisinière.

— Votre eau est en train de bouillir.

Emily lui tourna le dos et plongea les spaghettis dans l'eau. Elle avait compris qu'elle n'en obtiendrait pas davantage de Jack, du moins pour ce soir. Et pourtant, elle était dévorée de curiosité à son égard. Apparemment, il avait eu des problèmes avec son père.

C'était quelque chose qu'elle était bien placée pour comprendre.

Elle le regarda choisir le verre préféré de Lloyd parmi les dizaines d'autres qui s'alignaient dans le placard et imagina sans peine le sourire satisfait de son père devant un tel choix. Elle savait que, s'il l'aimait tendrement, celui-ci avait toujours voulu un fils. Quelqu'un comme Jack, qui pourrait un jour reprendre l'entreprise. C'était la raison principale pour laquelle il l'avait encouragée à épouser Todd Baxter.

Elle retint un soupir tandis qu'elle égouttait les spaghettis. Son père ne pouvait être taxé de sexisme. Il l'avait traitée exactement comme ses autres employés, et elle n'avait dû sa promotion qu'à son seul mérite. Mais, au plus profond d'elle-même, elle savait qu'il rêvait de léguer son entreprise à quelqu'un qui perpétuerait le nom de Winters. Quelqu'un qui s'assiérait le soir près de lui pour siroter un cognac tout en parlant affaires. Et dans l'esprit de son père, ce n'était pas ainsi que se comportait une femme. A défaut d'autre chose, il espérait donc que sa fille épouserait un homme qu'il pourrait traiter comme un fils.

Elle se demanda si Jack avait deviné cet aspect de la personnalité de son patron. Après tout, il était déjà là quand elle avait épousé Todd. Et il savait aussi que ce dernier avait essayé récemment de pirater le nouveau programme informatique mis au point par Nate Leeman, Utopia.

Elle glissa un regard dubitatif vers Jack. Elle avait fait du bon travail pour Wintersoft, notamment en proposant de nouvelles stratégies commerciales qui avaient suffisamment impressionné son père pour lui valoir sa récente promotion. Mais la trahison de Todd avait-elle porté atteinte à son professionnalisme ? Les efforts non déguisés de son père pour lui trouver un mari avaient-ils donné à Jack l'idée qu'elle serait incapable de gérer un jour seule l'entreprise ?

— Nous devrions peut-être parler de la journée de demain, suggéra-t-elle.

Une ride verticale apparut entre les sourcils de Jack, tandis qu'il retirait le pain à l'ail du four.

— Je croyais que tout était clair. A moins que j'aie oublié un détail ?

— Non, ce n'est pas ça. En fait, je viens de me souvenir de quelque chose. Connaissez-vous Randall Wellingby ?

— J'en ai entendu parler. Il dirige le groupement bancaire ABG au Royaume-Uni.

— Il le dirigeait. Pendant que vous dormiez dans l'avion, j'en ai profité pour lire la gazette financière, et j'ai découvert qu'il venait d'être nommé à New York. Donc il y a de fortes chances qu'il soit au salon.

— ABG utilise les logiciels Acton...

Jack prit le plat de spaghettis qu'Emily lui tendait et le porta jusqu'à la table.

— Vous croyez qu'ils seraient prêts à changer de fournisseur ?

— Pourquoi pas ? J'ai rencontré Randall Wellingby lors d'un récent voyage à Londres. Il m'a dit qu'ils étaient très satisfaits d'Acton, mais...

Elle eut une petite grimace tandis qu'elle lui tendait les serviettes et les couverts.

— J'ai eu l'impression qu'il y avait un différend entre eux. Si Wellingby fait une apparition, nous devons faire en sorte qu'il jette un œil sur notre logiciel.

Tandis qu'ils prenaient place à table, le soleil, semblable à une grosse orange lumineuse, acheva sa chute vers l'horizon.

— Ce serait formidable d'arriver à le convaincre, reconnut Jack.

Il déplia sa serviette sur ses genoux et parut songeur pendant quelques instants.

— A quoi ressemble-t-il ?

— Il est très grand, les cheveux blonds, il a une petite quarantaine, est plutôt séduisant et toujours très élégant. Avec sa stature et son style, il se démarque des autres et nous ne pourrons pas le manquer.

Une étrange lueur de dépit apparut dans les prunelles grises de Jack. Aussitôt, Emily se demanda si elle avait fait une erreur en décrivant Wellingby comme un homme séduisant.

— Très bien. Si je le vois, je l'attirerai vers le stand et je lui ferai la démonstration.

— Il sera peut-être plus à l'aise avec moi, puisque nous nous connaissons déjà. Nous devons mettre toutes les chances de notre côté.

Jack tourna machinalement sa fourchette dans son plat de spaghettis.

— Je suppose que vous avez raison.

Emily baissa la tête vers son assiette.

Le ton de Jack ne débordait pas de confiance. La croyait-il attirée par Wellingby ? Ou pensait-il qu'elle manquait d'expérience pour conclure une négociation difficile avec un homme d'affaires de cette envergure ?

D'une façon comme d'une autre, elle n'aimait pas sa réaction. Mais, puisque Jack ne s'était pas montré ouvertement méprisant ou agressif, elle laissa passer la remarque.

Depuis son fiasco avec Todd, elle se montrait excessivement sensible à l'image qu'on avait d'elle au sein de l'entreprise, et elle devenait peut-être un peu paranoïaque.

Une chose était sûre, en tout cas, elle allait tout mettre en œuvre pour convaincre Randall Wellingby de passer commande chez eux. Il n'était pas question de laisser Jack continuer à croire qu'elle avait obtenu son poste parce qu'elle était la fille du patron.

3.

Jack prit une profonde inspiration et se concentra sur l'écran situé face à lui, en ignorant délibérément Emily. Aujourd'hui, elle était particulièrement belle dans son tailleur gris anthracite dont la jupe courte moulait ses hanches et révélait un peu plus que ses genoux gainés de soie noire.

Pourquoi diable n'avait-elle pas choisi de porter un pantalon ?

Et pourquoi éprouvait-il une telle attirance pour la fille de son employeur ?

Jusqu'ici, il avait mis un point d'honneur à ne jamais mêler son travail et sa vie privée, et il s'en était plutôt bien sorti. Cela ne l'empêchait pas de multiplier les aventures à l'extérieur. Ainsi, il était toujours accompagné d'une femme différente lors des événements liés à son métier, qu'il s'agisse de galas de bienfaisance ou de dîners d'affaires. Cela lui avait d'ailleurs valu une curieuse mésaventure. Quelques mois plus tôt, l'un de ses anciens camarades de l'université d'Amherst avait bouleversé sa vie sans le savoir. Journaliste au *Boston Magazine*, il l'avait, par jeu, fait figurer dans la liste des célibataires les plus séduisants de la ville, faisant de lui la cible de tous les ragots au bureau. Mais ce petit jeu de séduction, qu'il aimait tant pratiquer, avait perdu de son attrait quand il avait compris qu'il risquait de mettre sa carrière en danger.

Depuis, il s'était plongé à corps perdu dans le travail. La seule entorse qu'il s'était autorisée depuis la sortie de l'article avait eu lieu lors d'un dîner chez Lloyd, où il était tenu de venir accompagné. Et cela n'avait pas été une réussite, loin de là. Il avait invité un top model qui n'était que de passage en ville, mais la jeune fille s'était révélée odieuse et beaucoup trop gâtée par ses richissimes parents. Un peu plus tard, il en avait ri avec Lloyd, mais il ne pouvait s'empêcher de se demander ce que son employeur pensait de sa vie dissolue. D'autant qu'il avait remarqué un exemplaire du *Boston Magazine* dans son bureau.

En dînant avec Emily la veille, dans l'atmosphère paisible et chaleureuse du chalet, il avait douloureusement pris conscience du vide sentimental qui régnait sur sa vie. Mais il ne pouvait rien y changer. Même s'il rencontrait une jeune femme intelligente et désintéressée, jamais il n'aurait une vie de famille idyllique avec une épouse attentionnée et des enfants.

Son diable de père avait tout gâché. Durant son enfance, pour commencer, et même encore maintenant, après sa mort. Qu'importe qu'il ait travaillé dur pour en arriver où il était. Il risquait de tout perdre si quelqu'un apprenait la vérité sur Patrick Devon.

Il ferma un instant les paupières, traversé par une vague puissante de jalousie tandis qu'il comparait son enfance misérable à celle d'Emily.

— Vous avez le dossier Metrogroup ?

La douce voix de la jeune femme l'arracha à ses pensées moroses.

— Il est dans mon attaché-case. Vous n'avez qu'à le prendre. Il est rangé dans une chemise bleue.

Emily le trouva sans peine, passa en revue les différentes informations, et le remit en place tandis qu'une première vague de visiteurs arrivait.

Quelques minutes plus tard, ils aperçurent un homme dont la silhouette leur semblait familière.

— Nous l'avons déjà rencontré, non ? murmura Jack à l'oreille d'Emily.

— C'est Mike Elliott, un de nos vieux clients. Il a contacté notre service d'assistance deux fois, pour des questions assez simples, et nous avons résolu très vite ses problèmes. Il est très content de notre logiciel de base et je crois que nous pourrons sans peine le convaincre d'acheter la mise à jour.

Comme il approchait, Jack afficha un large sourire et tendit la main.

— Mike, quel plaisir de vous revoir !

— Jack ! Je ne savais pas que Wintersoft serait présent sur le salon cette année.

— Eh bien si, nous sommes là ! J'espère que vous avez bien reçu notre courrier concernant les mises à jour du programme. Je peux vous en faire une démonstration, si vous avez le temps.

— Hélas, ma direction ne m'a pas envoyé ici pour passer mes journées au casino, plaisanta Mike.

Jack eut la bonne grâce de rire, puis il entraîna son visiteur vers l'ordinateur.

De son côté, Emily se mit à scruter la foule, tout en affichant un sourire engageant. Quelques personnes s'étaient arrêtées pour suivre la démonstration sur l'écran géant, et elle les encouragea à poser des questions.

Une heure plus tard, elle avait pris une nouvelle commande et avait convaincu trois anciens clients de rester fidèles à la marque.

L'heure du déjeuner était largement dépassée, et son estomac commençait à se rappeler à l'ordre lorsqu'elle aperçut une tête blonde au-dessus de la foule.

— Randall ! Quelle joie de vous voir ici.

Elle lui offrit son plus beau sourire tandis qu'il approchait du comptoir.

— J'ai appris que vous aviez été nommé à New York. Félicitations.

— Merci. Moi aussi, je suis content de vous revoir. J'ai beaucoup apprécié notre rencontre à Londres.

— Eh bien, puisque vous venez voir notre stand, j'imagine que vous êtes prêt à faire appel à nous...

Il se pencha sur le comptoir et prit une brochure qu'il parcourut rapidement, une expression indéchiffrable sur le visage.

— Tout dépend de votre capacité de persuasion. Mais ce que je vois ici...

Il abandonna la brochure pour jeter un œil à l'écran, puis il enveloppa Emily d'un regard appréciateur.

— ... me semble diablement tentant.

L'intonation était basse, intime, et elle chercha un moyen de redonner à leurs relations un tour plus professionnel.

— Je crois qu'une démonstration s'impose.

Jack venait d'abandonner l'ordinateur pour discuter avec un représentant d'Outland Systems, l'un des clients réguliers de Wintersoft, et elle invita Randall à la suivre à l'arrière du stand.

A la minute où celui-ci s'installa devant l'écran, elle sentit l'attention de Jack se concentrer sur elle. Elle jeta un rapide coup d'œil par-dessus son épaule et croisa son regard gris. Elle n'y trouva pas l'ombre d'un encouragement, mais plutôt de l'inquiétude. Et aussi quelque chose d'autre, qu'elle n'aurait su définir, et qui l'agaça prodigieusement.

Contrairement à ce qu'il avait l'air de penser, elle était parfaitement capable de se débrouiller toute seule. Et si elle parvenait à convaincre un client aussi important que ABG de traiter avec eux, elle prouverait à tout le monde, et à commencer par Jack, qu'elle méritait son nouveau poste.

— C'est très intéressant, commenta Randall tandis que s'achevait la démonstration. Et vous dites que nous pouvons faire appel à votre assistance technique vingt-quatre heures sur vingt-quatre ?

— Absolument. Mais je doute que vous en ayez besoin.

Il feuilleta de nouveau la brochure d'un air pensif.

— Ce que je viens de voir m'a convaincu, mais je ne peux prendre la décision seul. J'ai une réunion à Londres avec le conseil d'administration, la semaine prochaine. Donnez-moi la documentation nécessaire pour leur présenter votre produit. Je ferai tout ce qui est en mon pouvoir pour vous appuyer.

— Je vous en suis très reconnaissante, Randall.

Emily devait faire un effort pour ne pas laisser éclater sa joie. Son père serait ravi qu'elle soit parvenue à relever un tel défi.

— Si vous voulez, je peux vous envoyer un dossier complet dès mon retour à Boston. Et si vous avez la moindre question, surtout n'hésitez pas à m'appeler.

— Je n'y manquerai pas.

Le sourire encourageant de Randall renforça le sentiment de victoire d'Emily.

— Oh, j'allais oublier... Je dois passer trois jours à Boston après ma réunion à Londres. Si vous êtes libre, nous pourrions dîner ensemble. Cela nous donnera l'occasion de discuter d'une éventuelle commande.

Lui faisait-il des avances, ou s'agissait-il vraiment d'un dîner d'affaires ?

— Bien sûr, pourquoi pas ? Quand vous connaîtrez votre planning, vous n'aurez qu'à appeler ma secrétaire et elle s'occupera de tout.

— A bientôt, alors.

Il fit un signe de tête à Jack et salua d'un grand geste du bras un autre visiteur, qu'il s'empressa de rattraper dans la foule.

Aussitôt, Jack la rejoignit.

— On dirait que ça s'est bien passé.

— Je crois qu'il a mordu à l'hameçon, s'exclama Emily d'un ton triomphant.

— Parfait, répliqua Jack, l'air morose.

— J'ai l'impression que tout s'est bien passé également avec Mike Elliot, commenta-t-elle, consciente qu'il valait mieux ne plus parler de Randall Wellingby. Et l'acheteur de Outland Systems ? Il s'est laissé convaincre ?

— Je crois qu'il ne va pas tarder à passer commande.

— Mon père sera ravi.

Jack se détourna brusquement d'elle et se mit à scruter la foule. Et quand il se précipita vers un visiteur qui avançait timidement vers le stand, elle eut l'impression qu'elle avait fait quelque chose de mal.

Elle ne voyait pas ce que Jack avait à lui reprocher, mais une chose était sûre : il n'était pas question qu'elle continue à travailler avec lui dans une telle atmosphère.

A la première occasion, elle mettrait les choses au point avec lui.

L'air boudeur, les dents serrées, Emily jeta un coup d'œil dans son rétroviseur et se dégagea brutalement sur la file de gauche pour doubler un conducteur qui avançait avec une lenteur exaspérante.

Jack reboucha son stylo et tourna la tête vers elle.

— C'est difficile de prendre des notes si vous conduisez sans cesse par à-coups.

— Vous voulez prendre le volant ?

— Ça ne sera pas non plus très pratique pour écrire.

Elle haussa les épaules et appuya sur l'accélérateur.

Jack referma le dossier Outland et l'observa à la dérobée. Depuis la négociation avec Randall Wellingby, elle était d'une humeur massacrante.

— Vous avez fait du bon travail, dit-il dans l'espoir de la dérider.

— Je suppose. Pour une gosse de riche trop gâtée.

— Pardon ?

— Inutile de jouer les innocents. Je sais bien ce que vous pensez de moi. Vous êtes persuadé que j'ai obtenu ce poste uniquement parce que mon père dirige l'entreprise. Et peu importe que je gagne de nouveaux marchés, vous n'aurez jamais aucune considération pour moi.

— C'est complètement faux ! protesta Jack avec virulence. Qui a pu vous mettre une telle idée en tête ?

— Vous.

— Mais je n'ai jamais dit ça !

— Si, vous l'avez dit. Et à mon père, en plus.

L'expression interloquée de Jack ne fit qu'attiser sa mauvaise humeur.

— Allons, faites un petit effort de mémoire. C'était juste après ce dîner... Celui où vous êtes venu avec ce mannequin...

Il parut émerger du brouillard.

— D'accord ! Je comprends, maintenant. Je ne parlais pas de vous, mais de la femme qui m'accompagnait. J'étais très embarrassé par son comportement, et je voulais m'excuser auprès de Lloyd.

Emily se tortilla nerveusement sur son siège.

— Bon, admettons. Mais il y a autre chose. Hier, vous sembliez contrarié quand je vous ai dit que je voulais négocier personnellement avec Randall Wellingby. Et tout à l'heure, quand je vous ai annoncé que l'affaire était presque conclue, vous m'avez regardée d'un air bizarre, comme si vous m'en vouliez.

— Vous vous trompez, Emily. Je n'ai rien contre vous. Vous êtes nouvelle à ce poste, et ça fait partie de mon travail de vous épauler et de pallier d'éventuelles erreurs. J'aurais fait la même chose avec n'importe qui. Nous ne pouvons pas nous permettre de laisser passer un client aussi important que ABG.

Emily tapota du bout des doigts sur le volant.

— Vous auriez pu me le dire.

— Pour quoi faire ? Je ne voulais pas vous mettre mal à l'aise en laissant entendre que je doutais de vos compétences. Parce que ce n'est pas le cas.

Un silence tendu s'installa dans la voiture pendant les quelques minutes du trajet qu'il leur restait avant d'atteindre la maison.

— Vous m'en voulez encore ? demanda Jack, tandis qu'Emily composait le code d'ouverture du portail.

Elle haussa les épaules, la mine boudeuse.

— Non.

— Vous n'en avez pas l'air très sûr.

— Avouez que c'est un peu vexant, quand même. Pourquoi êtes-vous aussi sceptique par rapport à ABG ? Vous croyez que j'ai mal interprété l'intérêt de Randall pour notre logiciel ? Y a-t-il quelque chose que vous auriez fait autrement ?

— Si nous en parlions autour d'un verre ? Il me semble avoir aperçu une bonne bouteille dans le réfrigérateur. A moins que votre père n'y voie un inconvénient.

— Bien au contraire.

Elle fronça le nez et, avant qu'il ait eu le temps de lui demander ce qu'elle sous-entendait, elle s'empressa d'ajouter :

— Vous comprenez... Il serait ravi que nous fêtions dignement la journée. Après tout, nous avons bien travaillé.

Assis dans un des profonds canapés de cuir, un verre de vin blanc à la main, face à la lumière chatoyante du feu qui pétillait dans l'âtre, Jack ferma un instant les yeux et tenta de faire le vide dans son esprit.

— J'ai l'impression que vous n'avez pas confiance en Randall Wellingby. Vous pensez qu'il nous mène en bateau ?

La voix d'Emily le fit sursauter et il rouvrit les yeux.

Pour se donner une contenance, il prit le temps de boire une longue gorgée de vin.

— Non, je crois qu'il est intéressé. Mais pas autant que vous l'imaginez.

— Il est pourtant venu à nous de lui-même, et il a paru convaincu par mes arguments.

— C'est bien là le problème.

Embarrassé, il se passa une main dans les cheveux.

— Ecoutez, je sais que vous allez mal le prendre mais...

Il soupira pour gagner du temps.

— Vous avez raison, il est très intéressé. Mais pas par notre logiciel. Par vous.

— Vous plaisantez !

Emily était indignée et ne pouvait pas le cacher.

— Enfin, Jack, je vous en prie...

— Je vous assure qu'il vous a fait des avances.

Comme elle ouvrait la bouche pour protester, il leva la main afin de lui imposer le silence.

— Réfléchissez-y. Il vous a bien invitée à dîner, non ?

— Pour parler travail. C'est tout à fait normal.

Jack posa son verre sur la table basse.

— Je ne trouve pas. En tout cas, pas de la façon dont il l'a fait. Et puis j'ai remarqué certaines choses qui vous ont échappé.

— Quoi, par exemple ?

46

— Eh bien, quand vous vous êtes penchée sur le clavier pour lancer le programme de démonstration, il vous a enveloppée d'un regard qui était loin d'être innocent.

— Vous vous faites des idées.

— Puisque que je vous dis qu'il s'intéresse à vous !

— Ne soyez pas stupide !

A son tour, Emily posa son verre sur la table et se rencogna dans le canapé. Elle avait peut-être un peu flirté avec Randall. Mais cela faisait partie du jeu commercial. Elle s'était montrée aimable et souriante, comme elle l'avait toujours fait avec n'importe quel client présent.

— Je suis désolé, Emily.

Soudain, Jack lui prit la main et elle ne put réprimer un frisson.

— Vous n'avez pas l'air de vous en rendre compte, mais vous êtes une femme très séduisante. Vous êtes intelligente, et promise à un avenir brillant. Les hommes ne vont cesser d'affluer de toute part, et vous risquez de vous méprendre sur leurs véritables intentions si vous ne pensez qu'au travail.

Comme si elle n'avait pas appris la leçon avec Todd !

Emily retint un soupir et s'efforça de dissimuler sa nervosité. Le simple contact de cette main chaude sur sa peau lui faisait tourner la tête. Elle aurait voulu se dégager, mais ne pouvait s'y résoudre. Il y avait si longtemps qu'un homme ne l'avait pas touchée. A part Marco Valenti. Mais il ne comptait pas. Elle était juste sortie avec lui quelques semaines pour que son père cesse de la harceler, mais elle n'avait jamais rien éprouvé pour lui. Même ses baisers lui faisaient moins d'effet que la simple présence de Jack à ses côtés.

Il s'imaginait peut-être qu'elle était incapable de penser à autre chose qu'au travail, mais il se trompait.

— Si c'est un compliment, vous avez une drôle de façon de vous y prendre, remarqua-t-elle d'un ton qui se voulait désinvolte. Et pour ce qui est de Randall, je vous prouverai que vous vous trompez.

Une lueur ironique dansa dans les yeux de Jack.

— Et moi, je peux vous prouver que j'ai raison.

Elle ouvrait la bouche pour lui demander de s'expliquer quand il se pencha vers elle et s'empara de ses lèvres.

S'il avait une manière pour le moins originale d'exprimer ses pensées, elle était en revanche tout à fait claire.

4.

Emily ne pouvait plus bouger. Les lèvres de Jack avaient pris possession des siennes si soudainement, et avec une telle intensité, qu'elle était comme paralysée.

Mais bientôt, un flot de sensations contradictoires l'envahit, fait de surprise, d'excitation et de peur. Jamais on ne l'avait encore embrassée de cette façon, et elle ne se sentait pas la force de lutter contre l'émotion qui la faisait palpiter, la poussait à enlacer son compagnon.

Jack aussi était surpris. Il n'aurait pas imaginé qu'elle lui réponde avec tant de douceur et d'ardeur mêlées. Encore un baiser et il perdrait la tête.

S'écartant avec brusquerie, il lui adressa un sourire qui se voulait goguenard.

— Et voilà ! dit-il d'un ton satisfait. Vous êtes convaincue, maintenant ? Vous êtes séduisante, et si je peux avoir envie de vous embrasser, songez à ce qui se passe dans la tête de Randall Wellingby.

Une étincelle de rébellion passa dans les yeux d'Emily.

— C'est ainsi que vous régliez vos différends professionnels avec Quentin Kosta ?

Elle était légèrement essoufflée, preuve s'il en fallait qu'il ne lui était pas aussi indifférent qu'elle voulait le laisser croire.

— Je n'ai jamais eu à convaincre Quentin qu'il était séduisant.

— Heureusement. Sinon, il vous aurait mis son poing dans la figure.

— Je suis surpris que vous ne l'ayez pas fait.

— Je ne peux pas. J'ai besoin de vous demain.

— En parlant de cela, je voudrais que vous me fassiez confiance. Si Randall s'arrête de nouveau sur notre stand, c'est moi qui lui parlerai. De cette façon, nous saurons s'il est vraiment intéressé par notre logiciel.

Emily se mordilla la lèvre inférieure.

— D'accord.

Elle laissa passer quelques instants de silence avant de reprendre :

— Je ne vous ai jamais remercié pour votre intervention lorsque Todd a été surpris à voler des informations dans mon bureau. Il a dit des choses horribles sur mon compte, et…

— Todd est un butor. On ne dit pas ça à une femme. Ni à personne, d'ailleurs.

Dans l'espoir de la dérider, il lui adressa un clin d'œil moqueur.

— J'aurais fait la même chose pour Quentin.

Emily éclata de rire.

— Je n'en doute pas.

Puis elle redevint sérieuse.

— Vous savez, j'ai confiance en votre jugement. Vous êtes doué pour évaluer les gens, et vous avez été le premier à vous douter que Todd mijotait quelque chose. Il passait de plus en plus de temps chez Wintersoft, il se plaignait d'avoir été licencié et de ne pas retrouver de travail…

Elle secoua la tête, visiblement en colère contre elle-même.

— Comment ai-je pu être aussi aveugle ? Je n'ai rien soupçonné, et pourtant j'ai été mariée avec lui.

— Vous n'avez rien à vous reprocher. Dans l'ensemble, vous êtes plutôt intuitive. J'ai pu le remarquer aujourd'hui avec nos clients.

— A propos de clients…

Emily s'interrompit pour attraper son attaché-case au pied du canapé.

— Je crois avoir vu le nom d'Ethan Poston, l'acheteur de Metrogroup, sur la liste des participants aux conférences. Ce serait bien d'essayer de prendre contact avec lui demain.

— D'accord.

— Si vous avez le temps, j'aimerais bien que vous vous en occupiez. D'après ce que j'ai appris, Ethan Poston est diplômé d'Amherst, et je sais que vous y avez également fait vos études comme boursier.

Jack eut l'impression qu'on lui assenait un coup de poing à l'estomac.

— Comment savez-vous que je suis allé à Amherst ?

Elle haussa les épaules, tout en évitant soigneusement de croiser son regard.

— Je ne sais pas. Vous avez dû en parler au bureau. Quoi qu'il en soit, si vous parvenez à établir le contact avec Ethan…

— Je n'ai jamais parlé de mes études à personne. Et mon diplôme n'est pas accroché dans mon bureau. Quant

51

à mentionner le fait que j'ai bénéficié d'une bourse, c'est le genre de détail que je préfère garder pour moi.

— Dans ce cas, ce doit être Carmela qui m'en a parlé. Elle est toujours au courant de tout.

Un nerf joua dans la mâchoire de Jack, tandis que son regard se faisait glacial.

— Je n'ai jamais parlé de ça à Carmela.

D'un geste ulcéré, il jeta le dossier qu'il était en train d'étudier sur la table recouverte d'un plateau de verre.

— Vous avez consulté les dossiers du personnel, n'est-ce pas ?

Il lui suffit de croiser le regard paniqué d'Emily pour comprendre qu'il avait vu juste.

— C'était donc vous.

Il secoua la tête, l'air choqué.

— Récemment, j'ai voulu signaler un changement de numéro de téléphone aux Ressources humaines, et la secrétaire a eu un mal fou à trouver mon dossier. Il avait été mal rangé, ainsi que cinq autres, et elle a trouvé cela étrange car peu de gens y ont accès. J'ai pensé qu'il pouvait s'agir de Todd, puisqu'il nous espionnait, mais je ne voyais pas en quoi les dossiers du personnel pouvaient l'intéresser.

Emily se mordit la lèvre.

— Je suis désolée, Jack. C'est bien moi qui ai consulté votre dossier, mais ce n'est pas ce que vous croyez.

— Vous n'avez pas consulté que le mien. En tout, il y avait six dossiers déplacés, ceux de Matt Burke, Grant Lawson, Brett Hamilton, Reed Connors et Nate Leeman.

Tout en parlant, il énumérait les noms sur le bout de ses doigts.

— C'est à cause de Nate que j'ai pensé à Todd. Après tout, Nate est le responsable du département des nouvelles technologies. Mais je n'arrivais pas à faire le lien avec les autres.

Il se leva et se dirigea vers la fenêtre, incapable de supporter davantage l'air coupable qu'affichait le visage d'Emily.

Un silence pesant tomba sur la pièce, tandis qu'il s'absorbait dans la contemplation du paysage, puis il fit brutalement volte-face.

— Pourquoi ?

— Je ne peux pas vous le dire.

— Bien sûr que si, vous le pouvez ! Il s'agit d'informations personnelles. De ma vie.

Elle blêmit, mais refusa de se laisser impressionner.

— Je sais, et j'ai eu tort de consulter ce dossier.

Jack serra les poings et son visage se figea.

Une vague de peur monta en Emily. Brusquement, elle fut consciente de sa présence comme celle d'un homme exigeant, habitué à donner des ordres et à être obéi.

— Bon, je veux bien essayer de vous expliquer, dit-elle, mais vous devez me faire une promesse.

— Ah, non !

Il agita la main en signe de dénégation.

— Pas de promesse.

Elle se leva et croisa les bras sur sa poitrine, comme pour se protéger d'une attaque imminente.

— Que pensez-vous de Carmela ?

Jack leva les sourcils, visiblement surpris.

— Je l'adore. Comme tout le monde.

— Et quelle opinion avez-vous de mon père ?

— Je lui dois ma carrière. Il m'a tout appris.

Presque. Son propre père lui avait enseigné les pires leçons de la vie, rien que par l'exemple.

Un très mauvais exemple.

— Avant que je vous explique tout, vous devez me promettre de ne pas vous mettre en colère contre Carmela, et de ne rien rapporter à mon père.

— Je veux bien promettre en ce qui concerne Carmela, mais je me réserve le droit de vous en vouloir, ou d'avertir Lloyd si j'estime que c'est pour le bien de l'entreprise. C'est à lui que j'ai promis de toujours me montrer loyal, pas à vous.

— Très bien.

Elle décroisa les bras, mais son regard trahissait encore des signes d'inquiétude.

— Carmela et moi avons consulté les dossiers dans le cadre d'un projet dont je ne peux pas vous parler. Nous sommes toutes deux autorisées à le faire et, techniquement, nous n'avons commis aucune faute.

— Ça ne m'explique toujours pas pourquoi vous l'avez fait.

— Je ne peux rien vous dire.

Agacé, Jack rejeta la tête en arrière et contempla quelques secondes le plafond. Il ne pouvait soupçonner les deux femmes de sombres desseins, et il était soulagé qu'il ne s'agisse pas de Todd. Certes, il n'y avait dans son dossier aucune information compromettante au sujet de son père, mais Todd était quelqu'un à qui on ne pouvait pas faire confiance. A l'inverse d'Emily et de Carmela.

— Je suis désolée, dit encore Emily.

Puis elle se dirigea de nouveau vers le canapé.

— Nous devrions terminer de consulter ces dossiers. Mon père ne va pas tarder à appeler pour faire le point,

54

et je ne voudrais pas lui donner l'impression que la situation nous échappe, ou que le salon se déroule de façon catastrophique.

Jack grimaça mais finit par accepter.

Il prit soin cette fois de s'asseoir dans un fauteuil situé en face d'elle, pour éviter toute tentation, et se plongea dans l'étude du dossier Metrogroup.

Comme Emily se penchait pour attraper le dossier ABG sur la table basse, il l'imita et lui saisit le poignet.

— Nous n'en avons pas fini avec cette histoire, la prévint-il, d'un ton presque menaçant. Tôt ou tard, vous allez me dire pourquoi vous avez consulté ces dossiers. Voilà une promesse que je peux vous faire.

Comment avait-elle pu commettre deux erreurs aussi énormes le même jour ?

Emily fit fondre le sucre dans son café et en but une gorgée, tout en vérifiant qu'il y avait suffisamment de brochures à la disposition des visiteurs du stand.

Comment avait-elle pu en arriver là ? Après des mois de secret jalousement gardé, elle avait failli dire à Jack toute la vérité sur le plan qu'elle avait fomenté avec Carmela. S'il décidait d'en parler à son père, quelle humiliation ce serait pour elle de devoir s'expliquer !

Elle se détourna du comptoir et avala une longue gorgée de café, insensible à la brûlure qui lui meurtrissait la gorge. C'était aussi bien que Jack la déteste. Cela lui éviterait de l'embrasser de nouveau.

Ce baiser ! Voilà où se trouvait sa deuxième erreur.

Tandis qu'il orientait l'écran de l'ordinateur pour permettre une meilleure visibilité aux passants, Jack la heurta dans le dos.

— Pardon, marmonna-t-il, sans prendre la peine de se retourner.

— Ce n'est rien.

Fermant un instant les yeux, Emily essaya de faire le vide dans son esprit.

C'était une question de volonté. Elle pouvait très bien rayer ce stupide baiser de sa mémoire. D'ailleurs, cela ne signifiait rien pour Jack. Il suffisait de voir avec quelle indifférence il la traitait.

Allons donc ! Qui essayait-elle de tromper avec de si piètres arguments ? Personne n'embrassait une collègue juste pour prouver sa supériorité professionnelle, même un don Juan comme Jack. Quel genre d'excuse était-ce là ?

Non, en réalité, il avait eu envie de l'embrasser, puis il avait réalisé que toute relation personnelle leur était interdite, en dépit d'une indéniable attirance réciproque. D'ailleurs, il devait déjà le savoir confusément. Il avait vu ce qui s'était passé avec Todd, et il savait que sortir avec elle, c'était s'exposer à perdre son emploi...

Lorsque le salon ouvrit ses portes, Emily ruminait toujours de sombres pensées. Mais l'animation de la foire vint bientôt la distraire.

Ethan Poston fut parmi l'un des premiers à s'arrêter sur leur stand. Comme convenu, Jack se chargea de lui, et Emily ne tarda pas à être assaillie de questions par une foule de curieux.

56

A l'heure du déjeuner, le hall d'exposition se vida et, après avoir remercié un dernier visiteur pour son intérêt, Emily réalisa que Jack se tenait à côté d'elle, attendant qu'elle en ait terminé.

A contrecœur, elle se tourna vers lui.

— La matinée s'est bien passée ?

Il hocha la tête.

— Je crois qu'Ethan est séduit. Et j'ai eu d'autres contacts très prometteurs.

— Tant mieux.

Tournant la tête vers le groupe d'exposants placés en face d'eux, elle remarqua tout à coup qu'ils remballaient tout leur matériel et fermaient leurs stands.

— Que se passe-t-il ?

— Vous avez oublié l'assemblée générale des professions de la finance ?

— C'est cet après-midi ?

— Eh oui.

— Donc, il ne nous reste plus qu'à fermer boutique.

— Comme vous dites.

Elle commença à rassembler les piles de brochures et vit que Jack avait déjà éteint l'ordinateur.

— Vous voulez y assister ? demanda-t-elle. Ou vous préférez qu'on aille se promener ?

— Je crois que quelques heures de détente nous feraient du bien.

— Le casino, ça vous tente ? Le Silver Legacy et l'El Dorado se trouvent juste de l'autre côté de la rue.

Comme il gardait le silence, elle insista.

— J'ai pris la carte d'invité permanent de mon père. Vous pouvez l'utiliser, si vous voulez.

Le visage de Jack afficha une expression médusée.

— Vous avez des cartes de joueurs ? Je ne savais pas que vous aimiez les jeux d'argent.

— Pourquoi pas ? C'est très amusant. Ne me dites pas que vous n'avez jamais joué.

D'un geste impatient, Jack ramassa les dernières brochures et les cacha sous le comptoir.

— Je déteste l'ambiance des casinos, déclara-t-il. En revanche, je serais assez partant pour une ballade à skis. Vous skiez, je suppose ?

— Bien sûr.

— Ethan m'a dit qu'il était allé skier à Heavenly, hier. La neige était excellente et il ne faisait pas trop froid. Peut-être pourrions-nous y passer l'après-midi ?

Emily se sentit aussitôt ragaillardie. Cet intermède sportif tombait à point nommé pour lui changer les idées. Tandis qu'ils se dépenseraient physiquement sur les pistes, ils n'auraient pas à se creuser l'esprit pour trouver des sujets de conversation sans risque. Et, au moins, elle ne penserait pas sans cesse au baiser qu'ils avaient échangé la veille.

— Heavenly est très bien, mais si vous avez envie d'un peu plus d'action, il vaut mieux aller au Pic du Diamant. Les pistes y sont plus rapides, c'est plus près de la maison et il y a moins de monde.

— Comme vous voudrez. C'est vous la spécialiste. A ce propos, vous devez savoir où je pourrais louer un équipement ?

— Evidemment, mais…

Elle baissa la tête pour vérifier la pointure de Jack. Oui, ça devrait aller.

— Quelle pointure faites-vous ?

— Quarante-trois.

— Comme mon père. Vous n'aurez qu'à prendre ses bottes et ses skis.

Jack lui jeta un regard en coin tandis qu'ils se dirigeaient vers la sortie.

— Vous êtes sûre que ça ne lui posera pas de problèmes ? La plupart des gens détestent prêter leur équipement de ski.

— Pas mon père.

Et encore moins s'il s'agissait de Jack.

— Attendez que je fasse une griffe sur ses skis. Il changera d'avis.

Emily se mordit la lèvre pour ne pas rire. Jack pouvait aussi bien briser les skis de son père en mille morceaux s'il le voulait du moment que c'était pour passer du temps avec elle.

De son côté, elle comptait sur cette parenthèse pour détendre l'atmosphère et améliorer leurs relations professionnelles.

Après tout, il n'y avait rien de particulièrement romantique à dévaler des pistes enneigées.

Du moins l'espérait-elle.

5.

A l'instant où il referma les fixations des skis de Lloyd Winters, Jack sut qu'ils avaient pris la bonne décision. Un peu d'exercice lui permettrait de se vider l'esprit et de dépenser son trop-plein d'énergie. Dans l'espace confiné du stand, la présence d'Emily devenait insupportable et il se sentait sur le point d'exploser. Quel toupet elle avait eu de lui demander de ne pas se mettre en colère au sujet de son dossier personnel ! Comment pourrait-il ne pas s'offusquer d'une telle intrusion dans sa vie privée ?

Il laissa échapper un soupir et remonta la fermeture de son blouson jusqu'en haut, afin de couvrir sa gorge.

Sa colère s'apaiserait avec le temps. Il n'était pas du genre rancunier et, en outre, Emily n'avait rien appris de confidentiel.

Il la regarda enfiler ses gants et entrelacer ses doigts pour s'assurer qu'ils étaient bien ajustés.

Il était persuadé qu'il n'y avait pas en elle une once de machiavélisme. Bien au contraire. C'était elle qui avait aidé leur responsable des relations publiques, Ariana Fitzpatrick — aujourd'hui Lawson —, alors qu'elle était enceinte de jumeaux et avait été abandonnée par son fiancé. Elle avait également accepté une charge de travail supplémentaire afin que Brett Hamilton, le directeur du service export, puisse partir en voyage de noces avec sa nouvelle épouse, Sunny. Et il était presque sûr qu'elle avait quelque chose à voir dans les retrouvailles de Reed Connors avec son fils, dont il ignorait jusque-là l'existence. Cette femme était tout bonnement un ange.

Mais si elle n'avait aucun soupçon à propos de son passé, pourquoi avait-elle consulté son dossier ? Il avait beau retourner la question dans tous les sens, il ne comprenait toujours pas ses motivations.

Pourquoi n'avait-elle pas tout simplement demandé aux personnes concernées ce qu'elle voulait savoir ?

Il fallait probablement chercher un point commun entre les six hommes. Mais, hormis le fait qu'ils occupaient tous des postes de direction, il ne voyait pas de quoi il s'agissait.

— Vous avez besoin d'un long échauffement ? demanda Emily, tandis qu'ils avançaient dans la file d'attente pour le télésiège.

Un sourire radieux illuminait son visage tandis qu'elle levait la tête vers les cimes enneigées. Jack n'avait jamais pensé qu'elle pouvait aimer les sports de plein air, mais le vent glacé qui les frappait au visage donnait à son teint un éclat nouveau qui la rendait encore plus séduisante.

Il haussa les épaules en essayant de raviver sa colère. Ce serait beaucoup plus facile pour lui s'il se concentrait sur les raisons qu'il avait de la détester.

— Non, ça va. Je me sens en forme. Et puis, il ne nous reste que quelques heures avant que la nuit tombe.

— C'est vrai.

Elle leva son bâton vers la droite.

— C'est le parcours Lodgepole, le plus facile. Nous pouvons commencer par là et enchaîner avec le parcours Cristal. Ensuite, si vous n'êtes pas trop fatigué, nous pourrons passer aux choses sérieuses.

— Comme vous voudrez.

— Si vous ne vous en sentez pas capable, mieux vaut le dire maintenant.

— Non, ça ira. Je crois que je n'ai pas un trop mauvais niveau.

— Moi non plus.

Jack ne put s'empêcher de sourire devant un tel esprit de compétition.

— Je suis prêt à vous suivre jusqu'au bout du monde, affirma-t-il.

Une lueur d'amusement passa dans le regard d'Emily, tandis qu'ils avançaient dans la file.

— Vous risquez de le regretter.

Ils prirent place dans le télésiège et, dès qu'ils furent en l'air, Jack ferma les yeux et inspira à pleins poumons l'air frais de la montagne. Il y avait longtemps qu'il n'avait pas pris de vacances et, malgré ses affirmations, il craignait d'avoir un peu perdu de sa technique.

Il risqua un coup d'œil vers Emily qui observait les skieurs en contrebas. Le siège était prévu pour quatre personnes, et il y avait assez de place entre eux pour qu'ils n'aient pas à se frôler.

Pourquoi fallait-il donc qu'elle soit aussi séduisante ?

Il ne l'avait jamais vue en tenue décontractée. Même au chalet, elle gardait sa tenue de travail jusqu'au moment d'aller se coucher. Le matin, elle se présentait pour le petit déjeuner impeccablement coiffée et maquillée, sa jupe ajustée et sans un pli, et sa veste de tailleur pliée sur le bras. Cette tenue lui donnait une tout autre apparence, un peu comme si elle était une personne différente. Il ne lui avait pas fallu beaucoup de temps pour se changer quand ils étaient repassés au chalet, sans doute parce qu'elle skiait souvent et savait quels vêtements choisir sans y réfléchir longuement. Ou peut-être était-ce parce qu'elle avait hâte de quitter la maison, afin de passer le moins de temps possible seule avec lui. En tout cas, à en juger par la qualité de son équipement, son aisance à le transporter et le temps qu'elle avait passé à Tahoe, elle ne pouvait qu'être une excellente skieuse.

Il ne pouvait pas en dire autant. Il y avait un moment qu'il n'avait pas skié, et il était trop pris par son travail pour s'astreindre à une activité physique régulière.

Il lui restait à espérer qu'il n'était pas trop rouillé.

S'arrachant à la contemplation d'Emily, il baissa la tête vers la piste et observa les traces que laissaient les skieurs dans la neige.

— Vous avez fait beaucoup de ski durant votre enfance ?

Il entendit son blouson frotter contre la rambarde métallique du siège tandis qu'elle se tournait vers lui pour lui répondre, mais il garda les yeux fixés sur la piste.

— Non. J'ai appris à skier à l'âge adulte.

Même s'il l'avait souhaité, il n'aurait pas pu se le permettre quand il était plus jeune. Dans le misérable quartier de Quincy Shipyards, le ski était considéré comme un sport de riches, tout comme le golf, le tennis et l'équitation. La seule fois où sa mère avait réussi à réunir la somme nécessaire pour l'envoyer en classe de neige dans le Massachusetts, avec le soutien de la paroisse, son père avait trouvé un autre usage à faire de l'argent. Comme d'habitude.

— Vos parents skiaient ?

— Non plus.

Il aurait préféré. Peut-être le fait de pratiquer un sport aurait-il gardé son père sur le droit chemin, et aurait permis à ses parents de partager quelque chose.

Il aurait ainsi eu de jolies photos de famille sur fond de paysage idyllique. Comme Emily.

Désireux de changer de sujet, il désigna un skieur qui effectuait un parcours difficile au milieu des bosses.

— Vous avez vu ? Il ne se débrouille pas mal.

Emily éclata de rire et leva la pointe de ses skis.

— Regardez plutôt devant vous. Nous sommes presque arrivés.

Dès que leurs skis touchèrent le sol, Emily bifurqua vers la droite. Malgré la promesse qu'il s'était faite de l'ignorer, Jack sentit son sang s'accélérer dans ses veines quand elle se tourna pour lui adresser un clin d'œil avant d'abaisser ses lunettes sur ses yeux et de s'élancer sur la piste.

Il parvint à la suivre un moment, puis se laissa distancer tandis qu'elle filait comme le vent, les genoux fléchis, le torse penché en avant.

Il la rejoignit au départ du remonte-pente. Son regard pétillant de bonheur, ses joues rougies par le froid et par l'effort de la descente la rendaient si désirable qu'il dut faire appel à toute sa volonté pour ne pas la prendre aussitôt dans ses bras.

— Vous êtes prêt à passer à la vitesse supérieure ?

— Pourquoi pas ?

La file avançait rapidement et ils embarquèrent de nouveau. Cette fois, ils n'eurent pas à faire d'effort pour rompre un silence embarrassé, et la remontée fut ponctuée de plaisanteries et de rires.

Arrivés à destination, ils prirent un autre remonte-pente pour atteindre le Pic du Diamant.

— Attendez-vous à découvrir la plus belle vue de tout le Nevada, annonça Emily.

— Mieux qu'au chalet ?

— Ça n'a rien à voir.

Quelques minutes plus tard, ils arrivaient au sommet et Jack resta bouche bée.

Le lac Tahoe s'étendait au-dessous d'eux, cerné de montagnes recouvertes de pins sombres. Le soleil faisait étinceler la surface bleutée de l'eau et projetait des éclairs de lumière dans toutes les directions.

De toute sa vie, il n'avait jamais vu une eau si claire et si bleue.

— C'est beau, n'est-ce pas ?

— C'est splendide.

Emily lui adressa un sourire désarmant.

— Finalement, ce n'est pas si mal d'avoir un après-midi de libre, non ?

Il eut envie de rire devant son soulagement. Il était évident qu'elle s'était inquiétée à l'idée de faire cette escapade en sa compagnie.

Tout comme cela avait été le cas pour lui.

— J'ai rarement vu un paysage aussi extraordinaire, admit-il.

— Je suis d'accord. Mais il est vrai que je ne suis pas tout à fait objective.

66

A l'aide de son bâton, Jack fit tomber l'excès de neige qui recouvrait l'une de ses chaussures et rechaussa son ski. Puis il lui adressa un clin d'œil malicieux.

— On fait la course jusqu'en bas ? Je parie que je vous bats, cette fois.

— Oh non ! Vous n'avez aucune chance de me battre.

Avant qu'elle ait eu le temps de rabattre ses lunettes sur ses yeux, il s'élança à toute allure sur la neige. Elle ne tarda pas à le rattraper, mais il coupa à travers une série de bosses afin de reprendre l'avantage. Grisé par la vitesse, il dévala la pente, et s'arrêta en projetant de la neige et de la glace autour de lui.

— J'ai gagné ! cria-t-il.

— Vous avez triché.

— Pas du tout. Je suis plus rapide, c'est tout. Mais je reconnais que vous avez une meilleure technique. On fait la revanche ?

— Si vous y tenez.

Du bout de son bâton, elle désigna un point en contrebas.

— Vous voyez cette brèche entre les sapins ? Il y a un passage qui relie cette piste à Battle Born.

— Une promenade de santé, je suppose ?

— Pas vraiment.

Il exécuta une courbette théâtrale.

— Après vous, milady.

Elle se mit en place et lui jeta un regard de défi par-dessus son épaule.

Tandis qu'il époussetait de la main un peu de neige sur son blouson, il se retint de sourire. C'était ainsi que les choses devaient être entre eux. Détendues, légères, mais pas trop intimes.

Sans danger.

Il prit une impulsion et suivit des yeux la tâche bleu pâle du blouson d'Emily qui approchait de la zone d'arbres. Elle tourna la tête pour vérifier l'avance qu'il avait sur lui et ne vit pas la masse jaune vif qui fonçait sur elle à une vitesse folle.

— Emily ! cria-t-il de toutes ses forces.

Mais c'était peine perdue. Elle ne pouvait pas l'entendre, et il ne pouvait rien faire pour empêcher le snow-boarder de la heurter. A la dernière seconde, celui-ci aperçut Emily et vira brutalement. Emily fit un écart au même moment mais perdit le contrôle de ses skis.

Penchée sur le côté, délestée d'un de ses bâtons, elle filait à une allure vertigineuse vers l'étroit chemin dessiné entre les sapins et ne tarda pas à sortir du champ de vision de Jack.

La panique s'était emparée d'Emily tandis qu'elle filait entre les arbres, le visage griffé par les épines, le corps frappé par les branches. Elle ne pourrait pas éviter la chute. La question était de savoir si elle s'en sortirait sans trop de problèmes. Quel idiot, ce snow-boarder ! Comment avait-il fait pour ne pas la voir ?

Finalement, elle dérapa et plongea la tête la première dans les arbres. Les branches basses lui griffèrent les joues tout le long de la descente, jusqu'à ce qu'elle parvienne à s'arrêter sous un immense sapin qui répandit sur sa tête une pluie d'épines et de glace.

68

Elle rit de soulagement et se tourna sur le dos pour reprendre son souffle. Dieu merci, la catastrophe avait été évitée.

— Emily !

La voix affolée de Jack se répercutait entre les sapins. Apparemment, il se dirigeait dans sa direction.

Elle s'apprêtait à l'appeler quand il débloula à sa hauteur et s'arrêta en projetant une pluie de glace autour de lui.

— Emily, vous allez bien ?

— Ça irait mieux si vous ne m'aspergiez pas comme ça.

Prenant appui sur les coudes, elle se redressa à moitié.

— C'est votre façon de marquer votre supériorité ?

— Bon sang, j'ai bien cru que...

— Je n'ai rien du tout.

Elle ne put s'empêcher de sourire pour le rassurer. Toute la matinée, il s'était montré d'une humeur exécrable et elle avait brûlé d'impatience de quitter le salon. Mais tout cela semblait bien loin, maintenant. Malgré sa chute, elle ne regrettait pas cette escapade qui leur avait permis d'évacuer le stress du travail et d'apaiser leur hostilité.

Il ôta un de ses gants et tendit la main pour examiner son visage.

— Vous saignez.

— Ce ne sont que des égratignures.

Elle s'en était fait suffisamment pendant des années pour savoir de quoi elle parlait, sans même avoir à ôter ses gants afin de contrôler elle-même ses blessures.

— C'est plutôt ma fierté qui est blessée.

L'inquiétude qu'elle lisait dans son beau regard gris l'émut plus qu'elle ne l'aurait cru. Elle espéra que son visage n'en trahissait rien.

— J'espérais vous éblouir avec mes talents de skieuse, et maintenant, il va falloir que je masque mes égratignures pour éviter les regards intrigués de nos clients.

— Vous n'avez rien à faire pour être éblouissante, murmura-t-il en lui caressant doucement la joue.

— Vous êtes sûr que vous êtes dans votre état normal ? Ou alors, c'est la neige qui vous aveugle.

Juste au moment où elle prenait conscience qu'il allait l'embrasser, un groupe d'adolescents traversa la pinède un peu en amont, tout en poussant des cris d'enthousiasme.

Brutalement ramené à la réalité, Jack tourna la tête vers l'endroit d'où venaient les bruits.

— Je crois que nous devrions nous relever, dit Emily en se redressant.

Elle regarda autour d'elle en essayant de localiser le ski qu'elle avait perdu dans sa chute.

— Vous n'auriez pas vu mon...

Jack fit quelques pas sur le côté pour attraper le ski fiché dans la neige. D'un revers de main il en nettoya la surface pour qu'elle puisse de nouveau le chausser.

Emily fit quelques mouvements d'assouplissements pour vérifier que tout allait bien, et ils entreprirent de remonter le chemin.

— On va quand même à Battle Born ? demanda-t-elle.

Jack posa sur elle un regard dubitatif.

— Si vous vous en sentez capable.

— Evidemment. Cette chute n'était rien du tout. Je vous assure.

Elle pointa son bâton vers la piste qui s'ouvrait en dessous d'eux.

— D'ailleurs, nous sommes arrivés. Ce serait dommage de faire un détour. Autant descendre par-là.

Le reste de l'après-midi se déroula sans encombre. Ils prirent le temps de s'arrêter pour admirer le lac sous divers angles, et s'amusèrent à dévaler la montagne en tous sens.

Mais l'esprit de camaraderie teinté de compétition qui avait animé leurs deux premières courses avait disparu.

Et Emily en connaissait la raison.

Le souvenir du baiser manqué flottait entre eux en leur laissant un goût d'inachevé.

6.

Le soleil commençait à disparaître derrière les montagnes, et les lampes de la station de ski scintillaient dans la lumière déclinante.

Emily était épuisée, et elle avait hâte de regagner le chalet, même si cela signifiait que Jack et elle allaient devoir multiplier les efforts pour lutter contre leur attirance mutuelle.

— On rentre ? proposa Jack, visiblement aussi épuisé qu'elle.

— D'accord.

Après s'être défaits de leur équipement, ils se dirigèrent sans un mot vers la voiture.

— Vous boitez, remarqua soudain Jack.

— C'est juste parce que j'ai un peu de mal à me faire à des chaussures normales après avoir été sur des skis tout l'après-midi.

— Et bien sûr, votre chute n'a rien à voir avec ça.

Elle haussa les épaules. Sa cheville commençait à la faire souffrir, mais demain il n'y paraîtrait plus. Sans doute avait-elle un peu exagéré en skiant ainsi sans relâche. Mais ça ne pouvait pas être vraiment grave.

— C'est bien une réaction de commercial. Vous trouvez toujours le bon argument pour paraître supérieur à votre adversaire.

Il leva un sourcil.

— Nous ne sommes pas adversaires.

— Ce n'est pas ce que je voulais dire.

— Donnez-moi les clés, je vais conduire. En rentrant je vous ferai un bon chocolat chaud et vous pourrez reposer votre cheville. Je vous promets même de ne pas vous rappeler que j'ai gagné la dernière course.

Il pouvait se montrer tellement gentil et chevaleresque quand il le voulait ! Pourtant, il ne révélait rien de lui. Certes, elle lui avait découvert un sens de l'humour et de la repartie qu'elle n'avait pas soupçonné jusque-là, mais elle ne connaissait ni ses goûts, ni ses habitudes. Elle ne savait pas ce qui lui plaisait ou ce qui pouvait l'irriter. Elle ignorait s'ils avaient lu les mêmes livres, aimé les mêmes films, et s'ils avaient le moindre point commun.

— A moins que vous ayez une envie irrésistible de passer la soirée sur le dossier Goldman Sachs, dit-il d'un ton moqueur.

— Très drôle. Je préfère qu'on s'arrête à Incline Village pour prendre une pizza et une cassette vidéo.

Un bon film leur éviterait d'avoir à parler. Ou à réfléchir à ce qu'ils commençaient à éprouver l'un pour l'autre.

— D'accord.

Une heure plus tard, Jack disposait des assiettes en carton et des serviettes en papier sur la table basse du salon, tandis qu'Emily remplissait deux verres de soda.

Une pression sur la télécommande suffit à faire glisser un panneau de bois qui révéla un immense écran plat.

Emily se tourna pour attraper la cassette que Jack avait choisie au vidéoclub — elle l'avait volontairement tenu à l'écart des comédies romantiques — mais comme elle se penchait, sa cheville se déroba et elle trébucha.

— Je savais bien que vous étiez blessée, remarqua Jack, en la rattrapant de justesse.

Il l'aida à s'asseoir sur le canapé, puis il poussa les assiettes et les verres.

— Que faites-vous ?

— Ce que vous ne faites pas vous-même. Je prends soin de vous.

Avant qu'elle ait eu le temps de protester, il souleva délicatement sa jambe et la posa sur la table basse. Puis il prit un coussin et le glissa sous son pied, avant de s'agenouiller pour relever le bas de son pantalon et lui ôter sa chaussette.

— Jack !

Il ignora sa protestation et fit délicatement courir ses doigts sur la cheville légèrement tuméfiée. Il ne détecta rien de sérieux et leva les yeux vers elle.

— Pourquoi faites-vous autant d'efforts pour paraître invincible ? Vous ne l'êtes pas. Personne ne l'est. On dirait que vous avez peur de montrer votre vulnérabilité.

S'il savait combien elle se sentait vulnérable à cet instant précis ! pensa-t-elle en son for intérieur.

Faisant appel à toute sa volonté, elle s'efforça d'ignorer la paume chaude et ferme qui restait posée sur la peau nue de sa jambe, juste à l'endroit où il avait remonté l'ourlet de son pantalon.

— Ça n'a rien à voir. Il se trouve juste que je ne suis pas blessée.

— Menteuse.

— Ma cheville va bien. Elle est juste un peu douloureuse. Croyez-moi, je me suis blessée assez souvent en skiant pour savoir si c'est grave ou pas. D'ici à demain, tout sera rentré dans l'ordre.

— Je ne parlais pas seulement de votre cheville.

Il lâcha enfin sa jambe et vint s'asseoir à côté d'elle.

— C'est parce que votre père dirige Wintersoft ? Vous avez peur d'être mal perçue par les collaborateurs de l'entreprise ? Peur qu'ils croient que vous ne devez pas votre emploi qu'à votre seul mérite ?

Emily laissa aller sa tête contre le dossier du canapé et se perdit dans la contemplation du plafond.

— Ça vous prend souvent de vouloir jouer les psychanalystes ?

— Moquez-vous de moi ! Il nous reste encore trois jours à passer ensemble, et ce serait plus agréable pour tous les deux de jouer cartes sur table.

Elle se redressa et le regarda droit dans les yeux.

— Vous ne feriez pas pareil à ma place ? C'est normal de travailler plus dur que les autres quand votre père dirige une entreprise, et quand vos résultats se répercutent sur lui.

— Sans doute, mais il y a autre chose. Vous ne baissez jamais la garde, même quand vous êtes avec votre père. C'est l'homme le plus généreux que je connaisse, et pourtant vous semblez mal à l'aise en sa présence. Je vous ai suffisamment vus ensemble au bureau pour le savoir. Pourquoi cette réaction ?

— Je préfère ne pas en parler.

Sans qu'elle ait pu prévoir son geste, il lui passa un bras autour des épaules.

— Voyons, Emily, vous savez que vous pouvez me faire confiance.

Comment un contact aussi anodin pouvait-il la bouleverser à ce point ?

Elle s'humecta les lèvres et avala sa salive pour chasser toute émotion de sa voix.

— C'est lié à mon mariage. Vous étiez déjà là quand j'ai rencontré Todd. Vous savez de quelle façon lamentable ça s'est terminé.

— Vous n'avez jamais fait étalage de vos sentiments. Mais un divorce est rarement facile à vivre, même si c'est la meilleure chose à faire.

Elle le dévisagea avec étonnement.

— Vous parlez d'expérience ?

— Mes parents auraient bien mieux fait de divorcer. Quant à vous, vous avez pris la bonne décision en quittant Todd. Le mois dernier, quand il a été pris en flagrant délit d'espionnage industriel, je dois avouer que je me suis demandé comment une telle crapule avait eu la chance d'épouser une personne comme vous.

— Grâce à mon père.

— Pardon ?

Elle n'aurait su expliquer pourquoi, mais elle éprouvait soudain le besoin de se confier à Jack. C'était d'autant plus surprenant qu'il entretenait un étrange mystère autour de lui.

— Mon père m'aime énormément...

Elle marqua une pause pour se donner le temps de bien choisir ses mots.

— Mais je sais pourtant qu'il aurait préféré avoir un garçon. Quelqu'un qui aurait perpétué le nom des Winters et qui aurait repris l'entreprise. Malheureusement, ma mère n'a jamais pu avoir d'autre enfant.

Jack secoua la tête.

— J'ai du mal à croire que Lloyd ait pu dire une chose pareille.

— Il ne l'a jamais exprimé clairement, mais...

Elle haussa les épaules.

— Les enfants sont très capables de deviner ce que pensent leurs parents, vous savez. Avoir un fils était le rêve de mon père.

Jack hocha lentement la tête et elle vit qu'il comprenait.

— Quand Todd a commencé à travailler chez nous, l'année où j'ai obtenu mon diplôme, mon père a vu en lui son digne héritier. Un garçon bien élevé, qui présentait bien et avait de l'ambition.

— Le fils qu'il n'avait jamais eu.

— Exactement. Je l'ai trouvé séduisant, et plutôt gentil. Il venait d'une bonne famille et mon père l'appréciait. Il possédait toutes les qualités pour sortir avec moi. Quand mon père m'a encouragée à me fiancer avec lui, j'ai obéi.

Elle soupira, tout en essayant de ne pas penser au bras de Jack qui lui enserrait fermement les épaules.

— J'étais à une époque de ma vie où le mariage semblait une étape logique. J'avais vingt-quatre ans, je venais d'obtenir ma première promotion au service commercial, et toutes mes amies étaient déjà mariées.

Elle grimaça.

— Mais, dès le début, j'ai su que c'était une erreur.

— Vous êtes restés ensemble un moment, quand même.

— Dix-huit mois. Les plus pénibles de ma vie. Mais je ne voulais pas décevoir mon père. Et je ne voulais pas admettre non plus que je me fusse trompée.

— Todd a bien dû s'en rendre compte.

— Je ne sais pas. Il ne m'a jamais vraiment comprise. Au fond, il s'intéressait plus à l'entreprise qu'à moi. J'ai quand même essayé de faire fonctionner notre mariage, mais quand il n'y a rien à sauver, ça ne vaut pas la peine d'insister. C'est pour éviter de répéter la même erreur que j'ai dû consulter les dossiers de plusieurs membres de l'encadrement.

Jack se pencha vers elle, juste assez pour faire vibrer son corps de désir. Même si sa raison lui disait de s'écarter, elle était tentée de céder au réconfort que lui promettaient ces bras puissants.

— Je ne vois pas bien quel est le rapport, avoua Jack.

— Vous savez que nous avons consulté six dossiers…

— Oui.

— Réfléchissez à ce qui s'est passé depuis six mois. Qu'avez-vous en commun, tous les six ?

— Je me suis déjà posé la question. Mais elle est restée sans réponse.

Il étudia son visage, comme pour y trouver la solution.

— Nous sommes tous responsables de secteur et, il y a six mois, nous étions célibataires, mais…

— Réfléchissez encore, vous brûlez.

Jack resta bouche bée tandis que la vérité se faisait jour dans son esprit.

En l'espace de six mois, ils s'étaient tous mariés ou fiancés. Sauf lui.

— Mon père voulait à tout prix que j'épouse un collaborateur de Wintersoft. Quelqu'un qui s'impliquerait dans le développement de l'entreprise et serait prêt à la reprendre un jour. Il avait prévu de vous inciter — ainsi que les autres — à me faire la cour. Je ne pouvais pas le supporter. C'était tellement humiliant...

— Et c'est ainsi que vous avez décidé de leur trouver une fiancée.

— Vous avez tout compris.

Elle sentit ses joues s'empourprer tandis qu'elle poursuivait.

— Je sais que c'était très indélicat de ma part. D'habitude, j'ai horreur de me mêler de la vie des autres. Et ce n'est pas du tout mon genre de jouer les marieuses. Mais après ce qui s'est passé avec Todd...

— Vous ne vouliez pas que votre père vous désigne un nouveau mari et vous lui avez coupé l'herbe sous le pied. Vous avez décortiqué les dossiers de chacun pour en savoir plus sur leur personnalité et leur trouver quelqu'un qui leur correspondait.

Elle grimaça.

— C'est tout à fait ça. Je suis désolée, Jack. Je sais que c'est mal. Mais je n'avais pas tellement le choix. En septembre dernier, Carmela a entendu mon père dire à ma tante qu'il tenait à ce que je me marie le plus tôt possible. J'ai essayé de lui parler, de lui faire comprendre que j'étais adulte et en droit de décider de ma vie, mais il n'a pas voulu m'écouter.

Prudemment, elle guetta la réaction de Jack. Sa mâchoire était crispée et, l'espace d'un instant, elle crut qu'il allait lui faire des reproches. Mais soudain son expression changea, perdit de sa rigidité, et il se mit à rire à gorge déployée.

— Maintenant, je commence à comprendre. C'est pour cette raison que vous êtes venue avec Steve Hansen au bal de charité de l'entreprise ? Je me disais aussi que vous deviez avoir une idée derrière la tête.

— J'avais bien vu que vous me regardiez bizarrement. Alors, vous aviez deviné ?

— Que Steven est gay ? Il ne faisait pas beaucoup d'efforts pour le cacher. En outre, je l'avais rencontré une fois à New York avec son petit ami du moment.

Emily rejeta la tête en arrière et laissa échapper un gémissement.

— Cette fois, je me sens vraiment humiliée.

— Il n'y a aucune raison. Mais s'il vous plaît, dites-moi que c'est pour la même raison que vous êtes sortie avec Marco Valenti.

— Il n'est pas gay.

— Non, mais c'est un idiot. Je n'ai jamais compris ce que les femmes pouvaient trouver à un bellâtre pareil.

— Je sais. Il a un peu trop tendance à se prendre pour un don Juan. Mais il fallait bien que je trouve quelqu'un de plus crédible que Steven. Sinon, mon père serait revenu à la charge.

Jack lui pressa gentiment la main.

— Les parents nous placent parfois dans des situations gênantes. Je suppose que ça fait partie de leur travail d'éducation. Mais, d'une certaine façon, je vous admire d'avoir essayé de tenir tête à Lloyd. Je sais très bien qu'aucun d'entre nous n'ose lui dire non.

Emily essaya d'ignorer la chaleur de sa main posée sur la sienne. Mais quand Jack se pencha un peu plus, les lèvres à quelques millimètres des siennes, elle ne put s'empêcher de songer qu'il suffirait de presque rien pour qu'ils s'embrassent à nouveau.

— Alors, dites-moi, avec qui aviez-vous prévu de me fiancer ?

— Heidi Davis ? suggéra-t-elle pour plaisanter.

La jeune stagiaire avait presque la moitié de l'âge de Jack et gardait toujours dans son sac un magazine pour adolescents où s'affichaient de jeunes acteurs qui la faisaient fantasmer.

— Je sais qu'elle rêve de se marier. Mais, franchement, vous ne me trouvez pas un peu vieux pour elle ?

— Vieux, peut-être pas. Mais certainement beaucoup trop adulte.

— Soyons sérieux. Vous aviez pensé à qui ?

— A personne. Carmela et moi avions décidé de jeter l'éponge.

— Vous n'avez rien trouvé dans mon dossier ?

— Non. Et nous ne savions pas qui pouvait s'entendre avec vous.

— Une femme comme vous, peut-être ?

Emily fit un effort pour rester de marbre.

— Impossible ! J'ai juré de ne plus jamais sortir avec un collègue. En outre, je ne vous connais pas assez.

Pendant un long moment, Jack la dévisagea avec une curieuse expression, et elle sentit son pouls s'accélérer, espérant qu'il ferait un geste vers elle.

— Faux, dit-il. Vous savez que je peux vous battre au ski et que je sais cuisiner.

— Pas vraiment. Je vous ai juste vu préparer un pain à l'ail.

Le souffle de Jack lui caressait la joue. Le parfum boisé de son eau de toilette l'enveloppait comme un filtre magique.

— Et vous savez que ce baiser, hier, n'avait pas pour but de souligner un argument professionnel. Vous savez aussi que ça vous a plu et que vous avez envie de recommencer.

Une tension presque palpable envahit l'atmosphère. Elle savait qu'il allait l'embrasser d'une seconde à l'autre. Hypnotisée, elle attendit qu'il se rapproche encore, qu'il penche son visage au-dessus du sien...

Les lèvres de Jack se posèrent enfin sur les siennes, chaudes et conquérantes. L'étreinte, presque brutale, n'avait rien à voir avec le baiser tendre et bref de la veille. Il la serrait dans ses bras avec passion, comme s'il cherchait à éveiller en elle la violence d'un désir qu'elle s'acharnait à refouler.

Vibrant de tout son corps, elle s'agrippa à ses épaules et se laissa sombrer avec délices dans un flot de sensations éblouissantes.

Elle ne protesta pas lorsqu'il la renversa sur le canapé. Mais quand leurs corps se touchèrent, elle ne put s'empêcher de tressaillir en sentant la preuve de son désir s'imprimer comme une brûlure au fer rouge dans sa chair, à travers l'étoffe des vêtements.

Grisée, elle glissa les mains sous le pull de Jack, avide d'éprouver sous ses paumes le contact de sa peau chaude et ferme.

Un gémissement lui échappa alors qu'il parcourait sa mâchoire de petits baisers et s'attardait juste sous le lobe de l'oreille.

Le cerveau en ébullition, elle tenta de faire le tri parmi les pensées contradictoires qui s'y bousculaient. Jamais elle n'avait désiré un homme avec une telle force. Mais elle s'était promis de ne plus mêler travail et vie privée. Et puis, Jack ne collectionnait-il pas les aventures sans états d'âme, vivant au rythme de ses passions et de ses envies ? Elle le savait réfractaire à tout engagement émotionnel et avait conscience de ne rien pouvoir attendre de lui.

D'un autre côté, c'était sa seule chance de savoir à quoi ressemblait l'amour dans ses bras. Etait-il l'amant exceptionnel qu'elle imaginait dans ses rêves ?

N'était-il pas temps de faire preuve de courage, ainsi qu'elle le faisait chaque fois qu'elle voulait vraiment quelque chose sur le plan professionnel ? Pourquoi avait-elle peur de cet exaltant sentiment de bonheur qui l'envahissait ?

Oui mais... jamais elle n'aurait le courage de l'affronter au bureau après ça.

— Jack ?

Son prénom avait jailli de sa gorge dans un gémissement involontaire.

Sa bouche se figea contre son cou.

— Des regrets ? demanda-t-il d'une voix hésitante. Vous voulez que j'arrête ?

Il releva la tête pour plonger son regard dans le sien.

— Votre père n'a pas installé des caméras partout, j'espère.

— Non, rassurez-vous.

Oh, et puis au diable la raison, songea-t-elle.

— Je vous interdis d'arrêter.

7.

Le regard de Jack s'assombrit, et il ouvrit la bouche pour demander à Emily si elle était sûre d'elle, mais elle le fit taire d'un hochement de tête.

Il inonda alors les tempes d'Emily, mais aussi son front et ses joues d'un déluge de baisers légers. Puis ils se firent plus langoureux. La bouche de Jack se plaqua sur celle de la jeune femme et se fit exigeante, passionnée, rallumant aussitôt l'incendie qui couvait sous la cendre. Sous le poids de son corps, elle s'enfonça dans les coussins de cuir du canapé, les doigts crispés dans son épaisse chevelure.

— Je vais avoir un mal fou à ne pas te toucher demain, sur le stand, murmura-t-il.

Sa réponse jaillit, spontanée et imprudente.

— Eh bien profites-en maintenant.

Il grommela et glissa les mains sous son pull. Soudain, les paumes tièdes, douces et enveloppantes de Jack furent sur ses seins, et elle se cambra en gémissant sous la caresse de ses doigts habiles. Jamais Todd n'avait embrasé son corps de cette façon. Pas une fois il n'avait su éveiller en elle cette réaction passionnée.

Oh oui, elle voulait faire l'amour avec cet homme merveilleux sans s'inquiéter des risques qu'elle prenait pour sa carrière. Pour la première fois de sa vie, elle était prête à se permettre un total abandon.

Le téléphone sonna tout à coup, la rappelant brutalement à la réalité.

— Laisse, ne réponds pas, murmura Jack.

Elle obéit mais ne put s'empêcher d'écouter les sonneries s'égrener. Puis le répondeur prit le relais et la voix de son père emplit la pièce. Aussitôt, elle repoussa Jack, comme prise en faute.

— J'espère que vous vous amusez bien, dit la voix familière de Lloyd, provoquant un fou rire nerveux chez Jack et Emily. Appelez-moi dès que vous avez ce message. J'ai des informations importantes à propos d'un client.

Emily soupira et échangea un regard embarrassé avec Jack. La magie avait disparu et ils ne savaient plus quelle attitude adopter.

— Tu crois qu'il se doute de quelque chose ? demanda Jack, tandis qu'il se relevait.

— Sûrement pas. Si c'était le cas, il aurait déjà appelé un juge de paix pour nous marier sur-le-champ. Tu sais que le Nevada est connu pour ses mariages express. Et mon père est un homme désespéré.

Jack éclata de rire.

— Je vais le rappeler. Sinon, il risque de se poser des questions. Il a notre planning et il sait que le salon a fermé ses portes ce midi.

— Vas-y, l'encouragea Emily. Je vais en profiter pour réchauffer la pizza et mettre la cassette dans le magnétoscope.

— Ta cheville va mieux ?

— Je crois.

Il l'enveloppa d'un regard dévastateur avant de traverser la pièce et de prendre le téléphone.

Tout en ramassant les coussins qui étaient tombés au sol, Emily eut un sourire. Ils auraient peut-être l'occasion de reprendre un peu plus tard les choses où ils les avaient laissées.

Tournant la tête vers Jack, elle vit qu'il tapotait nerveusement sur la table en attendant que la standardiste lui passe le bureau de Lloyd. Elle en profita pour admirer son profil énergique, et sa haute silhouette athlétique et musclée. Au même moment, il tourna la tête. Peut-être était-ce l'insistance avec laquelle elle le contemplait qui avait attiré son attention. Il lui adressa un clin d'œil et ce simple geste suffit à la faire rougir.

Sans doute avait-elle eu tort en essayant de se persuader qu'elle le détestait. A cause de ce qu'elle avait vécu avec Todd, elle avait failli passer à côté d'un avenir peut-être plus heureux. Son ex-mari ne l'avait peut-être épousée que par ambition, puis il avait essayé de ruiner sa carrière quand elle l'avait quitté, mais Jack était différent. Il la respectait, il la traitait en égal, et il n'avait jamais fait le moindre commentaire sur sa vie privée. Elle avait la certitude qu'il ne s'intéressait pas à elle simplement parce qu'elle était la fille de Lloyd Winters.

Et puis, il y avait entre eux cette incroyable attirance physique. Comment pourrait-elle retrouver une telle alchimie avec un autre homme ?

Peut-être était-il temps qu'elle prenne enfin des risques. Il était là, lui offrant la chance d'être enfin heureuse. Pourquoi refuser indéfiniment ce que la vie avait à lui offrir ?

Il fallait toutefois qu'elle se montre prudente vis-à-vis de son père. Elle ne voulait pas lui donner de fausses joies avant d'avoir la certitude que son histoire avec Jack avait des chances de durer. De toute façon, elle avait bien l'intention de lui expliquer qu'elle n'avait pas besoin d'un mari pour exister. Qu'il y avait une différence entre vouloir l'amour, la confiance et la compréhension d'un homme, et épouser le premier venu juste pour ne pas être seule.

Jack finit par avoir Lloyd au bout de la ligne et se détourna pour jeter quelques notes sur un papier.

Il la rejoignit au moment où elle faisait défiler les bandes annonces pour caler la bande magnétique au début du film, et se laissa tomber dans le canapé. Puis il prit une part de pizza et se cala confortablement contre le dossier, son assiette en carton sur les genoux.

— Tu sais quoi ? dit-il. C'est une chance que vous ayez renoncé à me fiancer, Carmela et toi. Sinon, nous ne serions pas ensemble ce soir. Tu m'imagines en train de me cacher pour ne pas avoir à répondre aux coups de fil incessants de Heidi ? Je plains vraiment le pauvre garçon à qui elle parviendra à passer la corde au cou.

Emily se servit une part de pizza et se blottit contre Jack.

— Heidi fait partie de ces femmes qui s'imaginent qu'il n'y a pas de salut en dehors du mariage. Pourtant, on peut être très heureuse toute seule.

— Tu prêches un convaincu.

Il mordit dans sa pizza et hocha la tête.

— Tu as eu raison de ne pas t'entêter avec moi. Malgré tous tes efforts, ça n'aurait jamais marché. Je suis farouchement opposé au mariage.

Comment aurait-il pu en être autrement alors que ses parents se disputaient constamment ? Et le fait qu'il ressemble à son père, même s'il lui en coûtait de le reconnaître, n'était pas pour le rassurer. N'était-il pas, comme lui, fasciné par la réussite et l'argent ? A la différence qu'il gagnait sa vie honnêtement. Mais ne serait-il pas lui aussi saisi un jour par le démon du jeu ? Dans le doute, il préférait ne pas se marier pour ne pas infliger à une autre femme les humiliations et les souffrances qu'avait vécues sa mère, ni imposer à ses enfants une vie de misère.

Par ces mots prononcés d'un ton catégorique, le rêve d'Emily venait d'être brisé. Elle avait beau clamer haut et fort son indépendance, affirmer qu'elle ne reléguerait jamais sa carrière au second plan pour un homme, elle sentait que ses beaux principes commençaient à vaciller. Le mariage, la famille, ces mots qui sonnaient jusqu'alors si creux prenaient désormais tout leur sens avec Jack.

Comment avait-elle pu se tromper à ce point sur lui ? Elle s'était monté la tête juste parce qu'ils partageraient une formidable alchimie sexuelle. Elle était ridicule. A trente et un ans, elle en savait moins sur les hommes que Heidi, du haut de ses dix-huit ans. Pour Jack, il ne pouvait s'agir que d'une aventure. Et si elle en doutait, son classement dans le *Boston Magazine*, parmi les célibataires les plus en vue de la ville, aurait dû suffire à l'en convaincre.

Elle mordit dans sa pizza et lui trouva un goût amer de larmes refoulées.

Elle ne pouvait pourtant pas reprocher à Jack sa désinvolture. Après tout, en lui révélant le scénario imaginé avec Carmela, elle lui avait bien fait comprendre qu'elle n'avait aucune envie de se marier.

C'était peut-être d'ailleurs ce qui l'avait incité à céder à l'attirance qu'il éprouvait pour elle, sans craindre qu'elle n'en exige davantage de lui.

Mais au fond de son cœur, elle désirait sincèrement se marier. Elle voulait une grande maison avec un jardin, et surtout un mari tendre et attentionné. Quelqu'un qui n'hésiterait pas à lui tenir tête, qui lui donnerait de l'inspiration, qui la soutiendrait dans sa carrière... Quelqu'un qu'elle pourrait aimer à la folie.

En résumé, elle voulait vivre un vrai conte de fées.

Et, l'espace d'un instant, elle s'était autorisée à croire qu'elle pourrait avoir tout cela avec Jack.

— On va se faire une promesse, décida Jack, tandis que sur l'écran l'assassin s'apprêtait à attaquer le héros du film. Essayons de ne pas nous agacer mutuellement dans les jours à venir. Depuis des mois, si ce n'est des années, nous avons multiplié les différends et nous nous sommes lancé des défis professionnels uniquement pour ne pas avoir à reconnaître que nous étions attirés l'un par l'autre.

— Tu veux dire qu'on faisait tout pour agacer l'autre, parce que c'était une façon d'attirer son attention ?

Ce n'était pas faux.

Combien de fois avait-elle convaincu son père de lui confier une affaire alors qu'elle était du ressort de Jack ? Elle voulait juste lui démontrer qu'une fille pouvait être aussi efficace qu'un fils. Et peut-être également prouver à Jack qu'elle était aussi intelligente que lui.

Et combien de fois s'étaient-ils attardés tous les deux au bureau, non pas pour prendre de l'avance sur leur travail mais parce qu'ils savaient qu'ils étaient seuls dans l'immeuble ?

— Alors, on fait équipe ? insista-t-il.

Elle se tourna et lui tendit la main d'un geste théâtral, pour ne pas alourdir l'atmosphère.

— Marché conclu.

Ils faisaient équipe sur le plan professionnel, mais pas sur le plan personnel.

L'attirance physique, même lorsqu'elle était aussi forte que la leur, ne suffisait pas à garantir un avenir commun. Et ses efforts ne suffiraient jamais à conquérir un cœur qui ne battait pas pour elle.

Elle se leva pour aller chercher un autre soda, en essayant de se persuader que c'était mieux ainsi. Lorsqu'elle revint, Jack s'était assoupi. Elle prit la télécommande, rembobina le film, et se dépêcha de gagner sa chambre avant que Jack ne se réveille et la voie pleurer.

Jack se désintéressa un instant de son client pour vérifier ce que faisait Emily.

Elle était en pleine conversation avec le représentant d'une importante compagnie d'assurances, un homme corpulent et chauve, et il en profita pour l'admirer à la dérobée. Sa jupe courte et ajustée mettait en valeur ses jambes exceptionnelles, encore affinées par des escarpins à hauts talons. En dépit du fait qu'elle était debout depuis presque huit heures, elle semblait fraîche et pimpante.

Comment faisait-elle ?

Les muscles de ses cuisses étaient si douloureux qu'il peinait à rester debout. Hier, il s'en était à peu près bien sorti mais, quarante-huit heures après leur escapade sur les pistes, son corps avait décidé de lui faire comprendre ce qu'il pensait d'un tel traitement.

Interpellé par son client, il répondit à sa question et ouvrit une nouvelle page de démonstration sur l'écran. Puis il jeta un coup d'œil discret à sa montre pour vérifier combien de temps encore il lui faudrait endurer cette torture.

Il n'avait qu'une hâte, avaler deux cachets d'aspirine, prendre une douche chaude et se coucher.

— Vous êtes fatigué ? s'étonna son client.

Avec un sourire d'excuse, Jack cliqua sur la page suivante.

— Qui ne le serait pas après cinq jours sur un stand, se justifia-t-il.

L'homme acquiesça et, durant l'heure suivante, Jack se força à ne pas regarder dans la direction d'Emily.

Quand l'heure de fermeture arriva, il fut surpris de découvrir qu'elle débordait toujours d'énergie.

— Combien de café as-tu pris aujourd'hui ? demanda-t-il sur le ton de la plaisanterie.

— Beaucoup trop. Je pense que je ne vais pas fermer l'œil de la nuit.

— Ce ne sera pas mon cas. Je tombe de sommeil.

Il se pencha pour éteindre l'ordinateur et prit les documents de réexpédition du matériel. Grâce à Carmela, qui avait tout préparé à l'avance, il ne lui restait plus qu'à apposer sa signature au bas de la liasse.

— Tu es sûr que tu as envie de dormir ? demanda Emily. J'ai peut-être une meilleure idée.

Jack s'efforça de juguler la vague de désir qu'il sentait monter en lui.

— Tu penses à quelque chose de particulier ?

— Tu verras bien. Mais en attendant, on va repasser au chalet et je vais appeler mon père pour lui dire comment s'est passée la journée.

La conversation n'en finissait pas. Son père pouvait se montrer incroyablement bavard et, lorsqu'elle raccrocha, Emily se retint de grommeler en voyant l'heure. Elle aurait voulu avoir plus de temps pour sa dernière soirée avec Jack.

— Alors, quel est ton plan ? s'impatienta Jack.

— Laisse-moi le temps d'aller me changer, et je te dirai tout, répondit-elle d'un ton badin.

Elle voulait donner d'elle l'image d'une femme amusante, décontractée, qui n'attendait rien de lui.

Quelques minutes plus tard, elle réapparut vêtue d'un pantalon noir et d'un haut à emmanchures américaines en satin bleu pâle.

Il leva un sourcil, visiblement séduit, mais ne fit aucun commentaire.

— Ce soir, nous sortons en ville, annonça-t-elle. Au programme : un dîner au Roxy Bistro, le tour des machines à sous du Silver Legacy et, pour finir, la célèbre roulette de l'El Dorado.

Le regard de Jack s'assombrit et elle comprit immédiatement qu'elle avait dit une bêtise.

— A moins que tu ne sois vraiment trop fatigué pour sortir..., dit-elle d'un ton hésitant.

— Ce n'est pas une question de fatigue. C'est juste que...

Il haussa les épaules et tourna la tête vers la fenêtre, en dépit du fait qu'il faisait trop sombre pour contempler le paysage.

— On peut faire autre chose, si tu veux, insista Emily. Une balade au lac, peut-être ?

Il se passa la main sur le bas du visage et se tourna vers elle. Il n'y avait plus la moindre trace de colère au fond de ses yeux gris, et, sous la caresse brûlante de ses yeux, Emily eut la sensation que tout son corps fondait comme neige au soleil.

— J'aimerais autant passer une soirée tranquille ici avec toi.

Elle sentit la panique la gagner. Comment un homme pouvait-il être aussi séduisant ? Et aussi dangereux pour son cœur ?

Elle ne pouvait pas rester seule avec lui.

Ces deux deniers jours avaient déjà été assez éprouvants pour ses nerfs. Dans la journée, elle ne pouvait s'empêcher de l'observer à la dérober, bouleversée par le charme qui se dégageait de lui tandis qu'il déployait ses talents de vendeur sur le stand. Et la nuit dernière, elle avait cru défaillir en le croisant dans la cuisine, vêtu seulement d'un caleçon dont la ceinture élastique descendait bas sur ses hanches. Ebahie, incapable d'exprimer un son, elle n'avait pu s'empêcher de loucher sur les cuisses musclées, le ventre dur, les pectoraux saillants.

Il lui suffisait d'y repenser pour se sentir rougir.

— Qu'est-ce que tu en dis ?

La voix de Jack, aux inflexions basses et intimes, la ramena à la réalité.

Elle scruta son visage, partagée entre le désir et la crainte.

Il était évident qu'il n'avait aucune envie de quitter la maison. Mais ils savaient tous deux ce qui arriverait s'ils tombaient dans les bras l'un de l'autre.

Et cette fois, il n'y aurait pas d'appel de son père pour les déranger.

A dire vrai, elle savait qu'ils ignoreraient toute interruption. Un baiser, une caresse... Si jamais elle se laissait aller à poser les mains sur ce corps magnifique, elle serait perdue.

Il fit un pas vers elle, et il lui sembla que l'immense salon rétrécissait, que l'air se raréfiait.

De petites rides apparurent au coin de ses yeux, alors qu'il souriait, et elle fit appel à toute sa volonté pour ne pas bouger tandis qu'il repoussait doucement une mèche de cheveux derrière son oreille.

— Je n'aime pas les jeux d'argent, dit-il d'une voix posée.

Qu'y avait-il d'autre à faire à Reno, le soir ? A part ce que Jack avait en tête, évidemment.

Refusant de se laisser troubler, elle se détourna de lui et prit son sac sur la table basse.

— Allez viens ! Tu vas passer une excellente soirée, je t'assure.

Elle était dans l'escalier quand elle réalisa que Jack n'avait pas bougé.

Elle fit volte-face, persuadée qu'elle parviendrait à le convaincre de la suivre en lui lançant un défi, comme au ski. Mais son expression était glaciale.

— Non merci. Je n'ai aucune envie de me retrouver dans une salle enfumée et bruyante, à regarder des inconscients dépenser bêtement tout leur salaire.

Etait-ce une plaisanterie ?

La perplexité empêcha Emily de réagir immédiatement, et il en profita pour passer devant elle et gagner sa chambre.

Sur le seuil, il marqua une pause et se tourna vers elle.

— Quand tu sauras ce que tu veux faire, tu sais où me trouver.

Il laissa la porte entrouverte, en signe d'invite, et Emily se demanda ce qu'elle devait en penser.

Etait-ce une sorte de test pour voir jusqu'à quel point elle avait le contrôle de la situation ?

Indécise, elle resta à contempler la porte de sa chambre. Ce serait si facile d'aller le rejoindre. De passer une nuit fabuleuse avec lui...

Et de le regretter amèrement dès leur retour à Boston.

Les yeux fermés, elle prit une profonde inspiration et l'image de Todd, le jour de son arrestation, envahit soudain son esprit.

« C'est la faute d'Emily, criait-il, tandis que les vigiles l'empoignaient chacun par un bras. Si elle n'avait pas été aussi frigide, aussi obsédée par son travail, si elle m'avait obéi, nous n'en serions jamais arrivés là. »

Quand elle rouvrit les paupières, une larme coula sur sa joue, qu'elle s'empressa de chasser d'un revers de main. Jamais plus elle ne laisserait un homme lui dicter sa conduite. Que ce soit son père ou Jack. Elle en avait assez que les hommes de son entourage se croient autorisés à contrôler sa vie.

Elle grimpa les dernières marches jusqu'au palier, posa un long regard sur la porte de Jack et mûrit l'idée qui venait de lui traverser l'esprit.

Finalement, elle prit les clés du pick-up sur le crochet à côté de la porte, et cria pour se faire entendre de Jack :

— Je vais en ville. La limousine est dans le garage, si tu as envie d'aller faire un tour.

Puis, sans un regard derrière elle, elle sortit et claqua la porte.

8.

Emily héla une des serveuses de l'El Dorado et commanda une vodka tonic.

Puis elle chercha une position plus confortable sur son tabouret, actionna le levier de la machine à sous et regarda les cylindres rouler, ralentir et s'arrêter avec une secousse brutale.

Rien.

Elle soupira, prit trois pièces dans le gobelet en plastique qu'elle gardait sur ses genoux, et les inséra dans la fente.

Toujours rien.

La serveuse revint et Emily prit une longue gorgée d'alcool, en espérant que cela l'aiderait à apaiser sa frustration. En vain.

« Les hommes ! » marmonna-t-elle entre ses dents, tout en gardant les yeux sur les cylindres qui défilaient à un rythme étourdissant.

A l'évidence, Jack n'aimait pas qu'on lui résiste.

Elle eut un petit ricanement méprisant et prit une autre gorgée de vodka.

Après avoir perdu quarante dollars, elle abandonna la machine et se mit à errer comme une âme en peine dans le casino. Puis elle commanda un autre verre, cette fois un simple soda, et se dirigea vers une salle à l'écart. Elle s'arrêta devant une table de roulette et se laissa gagner par l'atmosphère particulière de ce jeu.

Il faisait très chaud dans la salle et, son soda terminé, elle demanda cette fois un verre d'eau pétillante avec une rondelle de citron.

Une cloche retentit quelque part dans le casino et des hurlements de joie couvrirent le brouhaha ambiant.

Quelqu'un venait de remporter le jackpot.

Un homme à la table lui demanda de miser sur un numéro pour lui, et elle s'exécuta de bonne grâce. Pourquoi pas ? Elle avait besoin de s'amuser et de ne penser à rien.

Au loin, un orchestre se mit à jouer, ajoutant encore à l'ambiance festive du casino. Si Jack préférait se morfondre à la maison, c'était tant pis pour lui.

— La chance est avec vous ?

Elle reconnut aussitôt la voix teintée d'un charmant accent anglais.

— Randall ! Je vous croyais reparti à New York !

Il secoua la tête.

— Je prends l'avion demain matin.

Il désigna la roulette d'un geste de la main.

— Vous gagnez ?

— Oh, je ne joue pas. Je préfère les machines à sous. Et vous ?

— Je suis surtout venu pour admirer les jolies femmes.

Son rire rauque et profond trahissait une longue expérience de séducteur.

D'accord, admit-elle en son for intérieur, Jack avait vu juste. Randall aimait flirter.

— Alors vous devez être content. Je n'ai jamais vu des serveuses aussi peu habillées.

Comme un fait exprès, une ravissante blonde vêtue d'un short très court et d'un bustier à paillettes apparut à côté de Randall. Il commanda un martini, et Emily demanda un autre verre d'eau.

— J'ai vraiment hâte de vous revoir à Boston, remarqua Randall, quand la serveuse se fut éloignée. J'ai bon espoir de convaincre le conseil d'administration, vous savez.

— Le temps nous le dira, répliqua Emily, en retrouvant aussitôt ses réflexes professionnels. Ce programme vous fera économiser beaucoup de temps et d'agent, et vous en verrez très vite les retombées.

Randall lui posa une main sur l'épaule.

— Vous n'avez pas besoin de déployer vos talents de négociatrice, Emily. Je suis déjà convaincu. Vous avez vraiment le commerce dans le sang.

Elle rit, tandis qu'il se penchait vers elle pour mieux observer un joueur.

— Difficile de faire autrement quand votre père dirige l'entreprise.

— Sans doute. Mais il y a un temps pour tout. Ce soir, j'ai bien l'intention de m'amuser. Et je vous invite à faire de même.

— Pourquoi pas ?

Allongé sur son lit, les yeux fixés au plafond, Jack se traitait de tous les noms. Quelle bêtise d'avoir laissé Emily aller seule en ville en pleine nuit. Mais pourquoi avait-elle autant insisté pour aller au casino ? Il l'aurait suivie n'importe où, au restaurant, au bowling, même dans un bar mal famé. Mais pas dans un casino.

Il poussa un grognement et se leva d'un bond.

Dans la salle de bains, il prit sa brosse à dents et se lava les dents pour la deuxième fois.

Elle avait voulu sortir ? Très bien. De toute façon, il pouvait sans peine se passer d'elle.

Quelques minutes plus tard, il se tournait et se retournait dans son lit, sans parvenir à trouver le sommeil.

Ce n'était pas Emily le problème. Mais plutôt son passé, le mariage désastreux de ses parents et l'obsession de son père pour le jeu.

Il jeta un coup d'œil à la pendulette posée sur la table de chevet. Presque minuit. Il était trop tard pour appeler sa mère en Floride. Il avait envie d'entendre sa voix et de lui demander si elle était heureuse, comme elle le prétendait.

Tout à coup, il repoussa les couvertures et se leva pour attraper son jean.

Il n'était pas son père. Sa mère le lui avait assez souvent répété.

Il voulait y croire. Mais il savait qu'il était aussi obsédé que lui par la réussite et l'argent. Il n'aurait jamais obtenu ce poste chez Wintersoft s'il n'avait pas fait preuve d'une ambition dévorante. Et si son père avait échoué en cours de route, qui pouvait lui garantir qu'il ne ferait pas de même ? Ou qu'il ne ferait pas souffrir sa femme ? Que ce soit Emily ou une autre.

Il enfila un pull noir à col roulé, prit son manteau et sortit de sa chambre. Puis il chercha les clés de la limousine.

104

Il possédait peut-être le même instinct de destruction que son père, mais il ne laisserait pas Emily seule une minute de plus dans un lieu de perdition.

Une heure plus tard, il faisait irruption au niveau inférieur du Silver Legacy et passait en revue les rangées de machines à sous. Il savait qu'il était capable de résister à la tentation. Il suffisait d'ignorer les employés placés près des escaliers et des ascenseurs, qui offraient des jetons gratuits pour tenter sa chance au bandit manchot ou à la roulette.

Il traversa la salle aménagée par rangées et conclut qu'Emily n'était pas là. Puis il prit l'escalator vers le second étage, où une passerelle reliait le Silver Legacy à l'El Dorado. Dans le hall, il contourna une immense fontaine représentant Poséidon et ses chevaux et suivit les flèches qui menaient au restaurant. Là encore, il n'y avait aucun signe d'Emily.

Gagné par l'anxiété, il dévala l'escalier qui menait à la salle des machines à sous, assez semblable à celle du Silver Legacy, et dévisagea chaque joueur dans l'espoir de découvrir les longs cheveux noirs d'Emily, ou ce chemisier bleu incroyablement sexy qu'elle avait choisi de porter.

Il se figea soudain en entendant son rire et fit demi-tour pour se diriger vers les tables de roulette.

Quand il l'aperçut, son cœur se gonfla de joie. Jusqu'à ce qu'il découvre une tête blonde penchée sur elle.

Elle était appuyée à une table de roulette, un verre contenant de la glace et une rondelle de citron à la main.

Et Randall Wellingby la tenait par l'épaule.

*
* *

— Emily !

Elle fit brutalement volte-face en entendant la voix de Jack.

Son manteau était boutonné de travers, et il avait les cheveux ébouriffés et les paupières rougies comme si on venait de le tirer du lit.

— Jack ? Je croyais que tu étais…

Elle se souvint de la présence de Randall et se reprit.

— … que vous étiez en train de travailler. Que se passe-t-il ?

— Rien d'important, répliqua-t-il, bien que son regard inquiet laissât entendre le contraire. J'ai eu envie de me changer les idées.

Il jeta un coup d'œil vers Randall.

— Vous vous amusez bien, j'espère ?

Il y avait une note de jalousie dans sa voix. Ou peut-être était-ce seulement de la désapprobation. Après sa réaction excessive de tout à l'heure, elle ne savait plus comment interpréter son attitude. Non qu'elle l'ait vraiment compris auparavant.

— Comme un fou.

Visiblement insensible à la tension régnant entre Jack et Emily, Randall ponctua cette exclamation d'un éclat de rire tonitruant.

— Malheureusement, je dois y aller. Mon avion décolle de bonne heure demain matin.

Contre toute attente, il déposa un baiser sur la joue d'Emily.

— Je vous appelle dès que j'ai mon planning pour Boston. Ou si j'ai de bonnes nouvelles venant de ma direction.

— Merci, Randall, répondit-elle d'un ton neutre, consciente du regard de Jack fixé sur elle, et de ce qu'il pouvait penser. J'attends votre appel.

Dès qu'il eut disparu dans la foule, Jack prit la main d'Emily.

— Sortons d'ici.

— A une condition.

Il leva un sourcil mais ne lui lâcha pas la main.

— Je crois que tu me dois des excuses.

Il la surprit en acquiesçant.

— C'est vrai. Mais pas ici.

Elle hocha la tête et le suivit sans protester. Mais dans le parking, elle réalisa que les excuses devraient attendre. Jack était venu avec la limousine de son père, qui était garée à trois emplacements du pick-up.

— On rentre ensemble, ou on prend chacun une voiture ? demanda-t-elle.

— Tu es assez sobre pour conduire ?

— Je n'ai pris qu'une vodka en arrivant, et depuis je n'ai bu que de l'eau ou du soda.

— D'accord, dit-il, sans parvenir à cacher son soulagement. Je te suis.

Il lui ouvrit la porte du pick-up et lui tendit la main pour l'aider à escalader le marchepied.

Quand ils arrivèrent au chalet, une heure plus tard, Emily ne tenait plus en place. La porte à peine refermée, elle jeta son manteau sur une chaise et se planta devant lui, les bras croisés.

— Tu peux m'expliquer ce qui t'a pris, ce soir ?

A son tour, il ôta son manteau, le posa sur celui d'Emily, et lui prit la main pour l'entraîner vers le salon.

Inquiète, Emily se mordilla la lèvre. Qu'est-ce que Jack pouvait bien avoir de si important à lui dire ? Etait-ce la dernière fois qu'il lui tenait la main ? Elle baissa les yeux sur leurs doigts entrelacés.

— Mon père avait le démon du jeu, déclara-t-il.

Puis il laissa un long silence s'installer entre eux.

Son regard ainsi que l'expression de son visage trahissaient une peine secrète qui lui donnait un air vulnérable, et Emily dut faire appel à toute sa volonté pour ne pas l'embrasser.

— Et ? l'encouragea-t-elle. Je comprends que tu aies été choqué que je veuille aller au casino. Mais tu aurais pu m'expliquer pourquoi. Tu n'as aucune raison d'avoir honte. Ça n'aurait pas changé l'opinion que j'ai de toi.

— Ça n'a rien à voir avec toi. Le problème vient de moi.

Lâchant la main d'Emily, il se passa les doigts dans son épaisse chevelure.

— Je ressemble beaucoup à mon père. Il était déterminé, ambitieux. Et pourtant, la vie n'avait pas été facile avec lui. Il n'avait pas pu faire d'études supérieures, mais il avait réussi à trouver du travail en usine. Il a commencé au bas de l'échelle, puis il est très vite devenu contre-maître. Après le travail, il prenait des cours du soir et parvenait encore à mettre de l'argent de côté pour que ma mère et moi ne manquions de rien.

— C'était un homme courageux, et qui devait beaucoup vous aimer tous les deux, remarqua Emily.

— C'est vrai. Mais un jour, il a trouvé au courrier un coupon pour un dîner gratuit dans un nouveau casino du Connecticut. La plupart de ses collègues en avaient reçu aussi et, comme l'un d'entre eux devait se marier, ils ont décidé d'aller là-bas tous ensemble pour y enterrer sa vie de garçon.

— Et c'est là que tout a commencé, en déduisit Emily.

Jack hocha la tête.

— Quelques mois après, il découvrait les courses de chevaux, et l'argent qu'il avait économisé pour mes études avait disparu. Mais il était persuadé de pouvoir le regagner. Alors il a continué à jouer. Puis il s'est mis au poker. Au début, il a eu de la chance et a gagné de grosses sommes. Il s'est cru invincible et il s'est laissé entraîner dans un engrenage infernal.

— Comment a réagi ta mère ?

— Au début, elle n'a rien dit. Elle pensait que c'était juste un moyen de décompresser. Il était sur le point d'obtenir une grosse promotion et il avait beaucoup travaillé pour en arriver là. Mais il a commencé à manquer le travail pour jouer et, un jour, il s'est fait renvoyer. C'est là que ma mère a essayé d'intervenir, mais il ne voulait rien savoir. A partir de ce moment-là, ils n'ont plus cessé de se disputer. Plusieurs fois, ils se sont séparés, puis ils ont repris la vie commune. Ils ont même essayé de suivre ensemble un programme pour les problèmes d'addiction au jeu.

Emily se rapprocha de lui.

— Et rien n'a marché ?

Jack joua machinalement avec le col de son pull et laissa retomber sa main.

— Non. Il a fallu la mort de mon père pour que ma mère soit enfin heureuse. Ne te méprends pas, j'aimais mon père. Mais il nous faisait vivre un enfer, et sa mort nous a, en quelque sorte, libérés.

— C'est tellement triste, s'exclama Emily, en lui pressant la main. Comment va ta mère, aujourd'hui ?

— Elle vit en Floride et elle s'est remariée avec un homme pour qui j'ai beaucoup d'estime et qui la traite avec gentillesse et considération. Je crois qu'elle est heureuse.

— Tant mieux.

Elle hésita une seconde avant de poursuivre.

— Je suis désolée d'avoir autant insisté pour le casino ce soir. Si j'avais su...

— Je ne voulais pas t'en parler. Je n'ai jamais raconté ça à personne. Songe à ce qui se passerait si quelqu'un au bureau apprenait que mon père jetait l'argent par les fenêtres. Tu crois que l'on continuerait à me confier des budgets de plusieurs millions de dollars ?

Avant qu'elle ait eu le temps de protester, il se pencha vers elle, comblant le faible espace qui les séparait.

— Je n'ai pas envie de vérifier cette théorie en mettant tout le monde au courant, d'accord ? Le fait d'aller au casino ce soir s'est finalement révélé une bonne thérapie. J'ai compris, pour la première fois de ma vie, que je pouvais y entrer sans éprouver le besoin irraisonné de dilapider tout mon salaire. Je sais que ça te paraît ridicule, mais tu ne sais pas ce que j'ai vécu.

110

— Il n'empêche que je peux te comprendre. Moi aussi, je réagis souvent en fonction de mon père. Je sais que je ne peux pas le comparer au tien, mais...

Un profond soupir lui échappa, et elle s'en voulut de donner d'elle une image aussi pathétique.

— Quand un homme me dit ce que je dois faire, je m'énerve et je fais des choses stupides. Comme partir en claquant la porte et en laissant derrière moi un homme formidable.

— Merci pour le compliment.

— Mais je vous en prie, monsieur Devon.

L'expression d'Emily était empreinte d'une innocence facétieuse, qui s'évanouit au moment précis où leurs regards se croisèrent.

Pendant un long moment, Jack et elle se contemplèrent gravement.

Comment résister à ces prunelles brûlantes, au souffle de Jack sur ses cheveux ?

— Et que se passerait-il si un homme te demandait de l'embrasser ?

— Tout dépend s'il s'agit d'une question ou d'un ordre.

— Et si c'est une supplique ?

— Mmm... Il faut voir.

9.

Le sourire narquois de Jack la faisait vibrer de plaisir anticipé.

Il se pencha encore un peu, et sa bouche ne fut plus qu'à quelques millimètres de la sienne.

— Alors, c'en est fini des luttes de pouvoir entre nous ?

Un gémissement bref s'échappa des lèvres d'Emily tandis qu'une pluie de baisers légers tombait sur son front, ses paupières et ses joues, et dissipait toutes ses angoisses.

— Pourquoi ? C'est toi qui veux mener la danse ? demanda-t-elle.

— Tu es prête à me laisser le contrôle ?

— Ce n'est pas une compétition, protesta Emily. Je croyais que nous étions d'accord pour arrêter de nous faire la guerre.

Pour toute réponse, Jack mordilla le lobe de son oreille. Elle refoula le gémissement qui montait à ses lèvres mais ne put cacher le frisson qui parcourait son épine dorsale devant cet assaut sensuel.

113

Pourtant, quand il la renversa sur le canapé, elle ne put s'empêcher de poser les mains à plat contre sa poitrine pour l'obliger à moins de précipitation.

Elle voulait seulement lui prouver qu'il n'était pas seul maître à bord, mais il n'était pas question pour elle de mettre fin à cette étreinte. Elle savait qu'il ne se contenterait pas d'un baiser, et elle était prête cette fois à aller jusqu'au bout.

Lentement, ses doigts caressèrent la nuque de Jack, glissèrent le long de son dos, jusqu'au creux de ses reins, tandis qu'il s'étendait sur elle.

Plaquée contre le corps dur et vigoureux de Jack, blottie dans sa chaleur, son odeur enivrante, elle sentit un frisson de joie anticipée la traverser. Cette fois, c'était vrai, elle allait faire l'amour avec l'homme qu'elle désirait le plus au monde.

Et, à en juger par la réaction de son corps contre le sien, Jack était dans le même état d'esprit. Ils avaient joué au chat et à la souris depuis tellement longtemps, faisant mine de se détester pour ne pas mettre leur carrière en danger. Ils avaient tout fait pour ne pas s'attacher l'un à l'autre et protéger leur petite vie bien tranquille. Ils pensaient qu'en se tenant à distance, ils ne souffriraient pas… Mais ils n'avaient pas compris qu'ils ne pourraient pas indéfiniment refouler leur sensualité. Et la pression accumulée depuis tant d'années ne rendait que plus troublant encore chaque baiser, chaque caresse.

Elle retint son souffle tandis que la main de Jack s'insinuait sous son chemisier.

— J'ai tellement envie de toi, murmura-t-il contre ses lèvres.

114

Comme elle lui répondait par un baiser d'une vibrante exigence, il souleva le bas de son chemiser et il laissa lentement descendre ses lèvres jusqu'à son ventre.

Le frottement de sa barbe naissante irritait délicieusement la peau d'Emily et ne faisait que redoubler son désir.

A cet instant, elle décida qu'elle était prête à tout remettre en question pour partager le reste de sa vie avec Jack.

— Tu as froid, remarqua-t-il soudain.

Il y avait une telle tendresse dans sa voix qu'elle ne put s'empêcher de le trouver merveilleux.

— Attends, je vais te réchauffer.

Il se redressa et marcha jusqu'à la cheminée.

— Je trouve que tu débrouillais très bien, protesta-t-elle, frustrée qu'il l'abandonne ainsi, au moment où elle commençait à prendre goût à ses caresses si prometteuses.

Mais sa déception fut de courte durée. Après avoir allumé le feu, il jeta quelques coussins sur l'épais tapis de laine que la mère d'Emily avait acheté au Mexique quand elle était enfant. Puis il la souleva dans ses bras et la déposa doucement devant la cheminée.

— Tu te sens mieux ? demanda-t-il.

— Beaucoup mieux.

Les flammes baignaient la pièce d'une douce lueur et allumaient des reflets cuivrés dans la chevelure de Jack. Mais la seule chaleur qui la réchauffait brûlait dans ses yeux.

Quelle femme ne se serait pas sentie bien en compagnie d'un tel homme ?

Sans la quitter du regard, il entreprit de se déshabiller, et elle sentit la température monter d'un cran lorsqu'il fit passer son pull et son T-shirt par-dessus sa tête.

Depuis qu'elle le connaissait, combien de fois était-il venu se promener nu dans ses rêves ? Peut-être était-ce grâce à cela qu'elle se sentait prête aujourd'hui à franchir cette étape.

Mais ses rêveries les plus audacieuses restaient dans le flou. Rien ne l'avait préparée à la vision de ces pectoraux saillants et de cet estomac aux reliefs superbement dessinés.

— Tu es tellement beau, murmura-t-elle.

Le sourire de Jack se fit moqueur.

— Je penserai à te le rappeler quand tu mettras en cause mes capacités à séduire un client.

Comme elle s'apprêtait à riposter, il posa un doigt sur ses lèvres.

— Je t'interdis de continuer à douter de toi-même. Ton père voulait peut-être un fils, mais…

Il marqua une pause le temps de laisser courir sur elle un regard appréciateur.

— … je suis diablement content qu'il ait eu une fille.

Emily ouvrit les yeux et prit graduellement conscience de la laine du tapis qui lui chatouillait le ventre, et de la douce caresse d'un plaid de cachemire sur ses épaules et son dos.

Il lui fallut encore quelques secondes pour se rappeler où elle était, et ce qui s'était passé la veille.

Blottie dans la chaleur du corps de Jack, dont le bras reposait sur elle, possessif jusque dans le sommeil, elle sentit le rouge lui monter au visage en se remémorant la folle nuit qu'ils avaient passée.

Doucement, elle se dégagea et consulta sa montre.

6 h 15. Leur avion décollait à 9 heures et il ne lui restait plus beaucoup de temps pour tout remettre en ordre. Il n'était pas question qu'elle laisse la maison sens dessus dessous. Et il fallait compter au moins quarante-cinq minutes pour rejoindre l'aéroport.

Elle se leva le plus discrètement possible, ajusta le plaid sur les épaules de Jack et rassembla ses vêtements.

Puis elle se dirigea vers la salle de bains sur la pointe des pieds, décidée à le laisser dormir le plus longtemps possible.

Une demi-heure plus tard, quand elle redescendit pour faire du café, Jack avait disparu. Le plaid et les coussins avaient retrouvé leur place sur le canapé, et les franges du tapis avaient été lissées. Même les cendres de la cheminée avaient été vidées.

Et pour couronner le tout, une assiette de gaufres était en train de décongeler sur le comptoir de granit.

Jamais elle n'aurait imaginé que Jack avait de tels talents domestiques.

Elle se laissa tomber sur une chaise et s'efforça de contrôler les battements désordonnés de son cœur.

Avec un soupir, elle tourna la tête vers la salle de bains. Le ruissellement de la douche lui évoquait l'image obsédante d'un corps qu'elle brûlait de sentir de nouveau contre elle.

— Seigneur ! gémit-elle.

Dans quel pétrin s'était-elle laissée embarquer ?

Et que se passerait-il une fois à Boston ?

Jack posa le combiné et mit le téléphone sur haut-parleur en attendant qu'on lui passe le responsable des achats de Outland Systems. Puis il se tourna vers la fenêtre et laissa son esprit vagabonder.

Il aurait dû se concentrer sur la difficile négociation qui l'attendait, mais Emily occupait toutes ses pensées. Il ne pouvait plus respirer l'odeur du café sans penser à leur dernier petit déjeuner au chalet. Il ne pouvait pas traverser le couloir sans jeter un coup d'œil vers son bureau.

Et il n'osait même plus regarder Lloyd dans les yeux.

— Devon ? Vous êtes là ? s'époumona son interlocuteur.

Il sursauta et faillit faire tomber le combiné, dans sa précipitation à le soulever.

— Oui, excusez-moi, dit-il en coupant le haut-parleur afin de poursuivre plus discrètement la conversation.

— Oh, Emily !

Carmela soupira lourdement en refermant la porte du bureau derrière elle.

— Il s'est passé quelque chose avec Jack, n'est-ce pas ?

Elle se tordit les mains et se laissa tomber dans un fauteuil.

— Malgré tous nos efforts, votre père est enfin arrivé à ses fins. Vous allez vous marier.

Emily leva les yeux au ciel.

— Ne dites pas n'importe quoi. Vous savez très bien que Jack Devon n'est pas le genre d'homme à vouloir se marier.

C'était d'ailleurs pour cette raison que tout avait changé entre eux à la minute où ils étaient descendus du taxi qui les déposait devant la tour Wintersoft.

A Reno, ils étaient libres de flirter, de s'embrasser... de faire tout ce dont ils avaient envie, et ils savaient que cela ne les engageait à rien.

Boston était synonyme de sérieux, de respectabilité... Un peu comme le mariage.

Elle prit une profonde inspiration et s'exhorta à un peu de modération. Elle n'était pas une collégienne énamourée. Inutile de faire tout un drame de cette histoire. Ils avaient fait l'amour en toute connaissance de cause. Maintenant, elle devait tourner la page et passer à autre chose.

— Mais il s'est quand même passé quelque chose, insista Carmela. J'en suis sûre. Ça se voit à la façon dont il vous regarde.

— Mais pas du tout ! Vous vous faites des idées.

La secrétaire de son père était tellement romantique ! Elle devait s'imaginer que tout finissait bien, en définitive. Exactement comme dans les contes de fées.

— Mais alors, pourquoi me regarde-t-il avec ce petit air entendu ? s'étonna Carmela.

Soudain, elle porta la main à sa bouche.

— Oh non !

Emily sursauta.

— Quoi ?

— Il sait ! Il est au courant pour notre petite manigance, n'est-ce pas ?

— Ne vous mettez pas dans un état pareil, voyons. Il ne savait rien. C'est moi qui lui ai tout dit. Et il n'a pas l'intention de le répéter.

Mais la secrétaire de son père, visiblement affolée, ne l'écoutait plus.

— Lloyd va être furieux. Lui qui me fait tellement confiance... Il va me détester.

Emily fit le tour de son bureau et lui prit la main pour la réconforter.

— Mais non, quelle idée ! Je vous promets que Jack ne dira rien.

— Il y a tellement de choses que vous ignorez, protesta Carmela, au bord des larmes.

Elle prit une profonde inspiration et redressa la tête.

— Enfin, ce qui est fait est fait. Il ne me reste plus qu'à croiser les doigts.

Son regard fut soudain attiré par la pendule murale.

— Oh, j'allais oublier. J'étais venue vous dire que Lloyd vous attend. Nous allons organiser une réception la semaine prochaine, et il veut votre avis.

Dans l'espoir de détendre l'atmosphère, Emily prit un ton moqueur.

— Nous ? Mais, Carmela... vous ne m'aviez rien dit.

A sa grande surprise, l'assistante de son père s'empourpra violemment.

— Je voulais dire que votre père organise une réception, mais comme j'ai l'habitude de régler tous les détails...

— Je sais, Carmela, je plaisantais. Vous serez présente, naturellement ?

— Bien sûr.

— Parfait. Je suppose que tous les directeurs seront invités ?

Un hochement de tête de Carmela confirma cette hypothèse.

— Vous aurez donc l'occasion de vérifier par vous-même que Jack saura tenir sa langue.

— Bon… Je suppose que c'est aussi bien ainsi. Au moins, il ne se laissera pas convaincre de sortir avec vous.

— Vous voyez ? Tout est bien qui finit bien.

Dès que Carmela eut quitté la pièce, Emily ferma la porte à clé et retourna s'asseoir à son bureau.

Là, elle posa la tête au creux de ses bras repliés et s'autorisa à laisser couler les larmes qu'elle retenait depuis si longtemps.

— Excusez-moi, je ne voulais pas vous déranger. Je repasserai plus tard.

Comme à son habitude, Emily était entrée dans le bureau de son père sans vérifier s'il était seul.

Et bien sûr, il fallait que son visiteur soit précisément Jack. C'était tout ce qu'elle méritait pour avoir pleuré pendant Dieu sait combien de temps dans son bureau, et avoir perdu une demi-heure de plus pour se remaquiller.

— Non, nous avions presque fini, Emily, protesta son père en lui faisant signe d'entrer.

Elle prit soin de s'asseoir le plus loin possible de Jack et évita de croiser son regard.

— Nous étions en train de régler les derniers détails pour notre réunion avec les représentants de plusieurs banques d'affaires, expliqua ce dernier, mais je crois que nous avons fait le tour de la question.

Lloyd hocha la tête.

— Et j'ai invité Jack à notre réception, vendredi prochain.

— Vous avez l'intention de venir ? demanda Emily d'un ton brusque qui lui attira un regard étonné de son père.

— Naturellement.

— Nous serons une cinquantaine de personnes, précisa Lloyd, et j'aimerais que tu aides Carmela. Elle fait un travail merveilleux, mais pour cette occasion, je préférerais qu'elle ne soit pas seule.

Emily leva un sourcil.

— Quelle occasion ?

Son père organisait fréquemment des dîners, mais le nombre des invités ne dépassait jamais la dizaine.

— Le travail ou le plaisir ?

— Un peu des deux. Mais je n'en dirai pas plus aujourd'hui.

Emily se retint de lever les yeux au ciel devant la mine machiavélique de son père. Il adorait faire des surprises, et elle devinait qu'il se tramait quelque chose.

Soudain, elle s'agita sur sa chaise. Elle n'appréciait guère d'avoir à aborder le sujet devant Jack, mais elle n'avait pas le choix.

— Je serais ravie d'aider Carmela, mais je risque d'arriver en retard vendredi soir.

— Je tiens absolument à ce que tu sois présente, protesta Lloyd. C'est important ?

Elle avala sa salive avec peine, incapable de regarder Jack.

— J'ai rendez-vous avec Randall Wellingby. J'espère qu'il a de bonnes nouvelles pour nous.

Une étincelle d'intérêt s'alluma dans les yeux bleus de son père.

— Vraiment ? Eh bien, invite-le à notre réception. Je vais demander à Carmela d'ajouter son nom sur la liste. Ce sera l'occasion pour moi de le rencontrer, s'il doit devenir un client...

Au même moment, Carmela passa la tête dans l'entrebâillement de la porte.

— Votre rendez-vous est arrivé, annonça-t-elle.

Lloyd la remercia, ramassa ses notes pour la réunion, et se dirigea vers la porte.

— Vous me rejoignez, Jack ? lança-t-il par-dessus son épaule.

Emily se leva et observa Jack qui rassemblait ses documents.

— Eh bien ? dit-elle.

Il tourna la tête vers elle, impassible.

— Oui ?

— Qu'en penses-tu ?

Elle n'aurait pas dû poser la question, mais elle voulait faire une dernière tentative pour découvrir la vérité sur ses sentiments à son égard.

Il le fallait, pour sa propre tranquillité d'esprit.

— Je suis bien préparé. Je pense que nos banquiers vont être...

Elle poussa un soupir d'exaspération.

— Je ne parlais pas de la réunion. Je voulais savoir ce que tu pensais de l'idée de mon père d'inviter Randall à la réception. Quel est ton avis ? Crois-tu que ce soit judicieux ?

Elle savait qu'elle n'avait pas à lui demander la permission. Cependant, elle espérait qu'il lui dirait de refuser.

123

Il haussa les épaules et rangea un dernier papier dans une chemise cartonnée.

— Jack ?

— Je suis sûr que ce sera une excellente opportunité pour Randall de mieux connaître Wintersoft.

— Ce n'est pas ce que je…

Avant qu'elle ait eu le temps de finir, il avait déjà quitté la pièce.

Depuis leur retour à Boston, il l'évitait comme la peste, et elle n'avait pas eu l'occasion de lui parler de ce qui s'était passé entre eux. Mais, apparemment, Jack avait déjà effacé cet épisode de sa mémoire.

Retenant un soupir, elle se massa les tempes et tenta de se maîtriser.

Elle n'allait pas se remettre à pleurer. Cela n'en valait vraiment pas la peine.

D'un geste décidé, elle prit le téléphone sur le bureau de son père et consulta sa messagerie pour noter le numéro de Randall à New York.

A l'évidence, Jack ne lui demanderait jamais de l'épouser.

C'était sans importance. Elle avait son travail.

Et, dans le seul intérêt de l'entreprise, elle allait inviter Randall à la réception. Tant pis pour Jack. Les affaires avant tout.

N'était-ce pas ce qu'il avait voulu lui faire comprendre en reprenant ses distances ?

10.

Le cœur d'Emily fit un bond dans sa poitrine quand elle aperçut le voyant lumineux du répondeur qui clignotait dans l'entrée.

Elle avait un message.

Peut-être Jack avait-il appelé pour s'excuser ?

Il avait quitté le bureau juste après sa réunion, lui interdisant ainsi toute chance de reprendre leur conversation.

De toute façon, même si elle mourait d'envie de le voir, de lui parler de ce qui s'était passé entre eux et de la façon dont ils devaient se comporter au bureau, elle savait qu'il devait faire le premier pas.

— Mon Dieu, mon Dieu, faites que ce soit Jack, murmura-t-elle en appuyant sur le bouton de lecture.

Mais la voix masculine sur le répondeur avait des intonations typiquement britanniques.

— Emily. Merci de m'avoir rappelé cet après-midi. C'était un plaisir de consulter mes messages et d'entendre votre charmante voix…

Emily leva les yeux au ciel. Randall en faisait décidément trop.

— Je suis désolé que nous ne communiquions que par répondeur interposé. J'espérais vous parler de vive voix, c'est pour cette raison que j'appelle chez vous. Quoi qu'il en soit, je voulais vous dire que je serai ravi de dîner chez votre père. Naturellement, j'aurais adoré vous voir en tête à tête. Mais je serai à Boston tout le week-end. Peut-être pourrons-nous nous voir samedi ?

Il voulait un rendez-vous. Cette fois, elle ne pouvait confondre ses propos avec un simple flirt mondain.

— Appelez-moi pour me dire ce que vous en pensez.

En clair, il voulait savoir si elle était intéressée par une petite aventure.

Elle soupira et effaça le message. Puis elle défit sa veste et la posa sur l'un des tabourets alignés devant le comptoir qui séparait sa minuscule cuisine du salon.

La pendule du micro-ondes indiquait 23 heures, et elle n'avait toujours pas dîné. Mais elle n'avait pas le courage de cuisiner.

Elle ouvrit le réfrigérateur, en inspecta les rayons, et finit par prendre un yaourt.

Puis elle se percha sur un tabouret et commença à consulter son courrier, tout en plongeant rêveusement sa cuillère dans le pot de yaourt. Pas une seule aventure depuis son divorce, songea-t-elle, et voilà qu'elle se retrouvait avec deux hommes sur les bras. Enfin, pas exactement. L'un des deux ne cherchait qu'une aventure sans lendemain. Et l'autre ne voulait plus d'elle.

Le cœur lourd, elle repoussa son courrier et jeta son yaourt sans le terminer. Puis elle se traîna jusqu'à sa chambre, en ôtant ses chaussures en chemin.

Inviter Randall était une erreur, réalisa-t-elle soudain. Elle risquait de lui donner de fausses idées en le conviant à un événement aussi intime qu'un dîner chez son père. Evidemment ils ne seraient pas seuls, et son père l'y avait fortement encouragée.

Il n'empêche ! Randall allait penser qu'elle n'était pas insensible à son charme.

Il est vrai qu'elle le trouvait attirant. Grand, blond, bien élevé... et cet accent ! N'y avait-il pas de quoi être séduite ? Mais après ce qui s'était passé la semaine dernière, elle savait que son cœur appartenait à Jack.

Ce dont il semblait se moquer éperdument.

Jack hésita devant l'imposante maison de briques à deux étages de Lloyd Winters. Elle était située à quelques pâtés de maisons des commerces de luxe de Newbury Street, et à deux pas du parc municipal.

Il avait neigé durant la nuit, et le manteau blanc qui recouvrait les grilles ouvragées entourant le jardin donnait au décor un air de carte de Noël. Sur le perron se tenait un maître d'hôtel chargé d'accueillir les visiteurs, et la maison, illuminée de haut en bas, bruissait d'exclamations et de rires.

A en juger par la liste des invités qu'il avait vue sur le bureau de Carmela, cette réception était le rendez-vous de la bonne société. Presque toute la direction de Wintersoft serait là, ainsi que des amis de longue date et des relations d'affaires. Mais Jack ne ressentait pas l'exaltation qu'il éprouvait d'ordinaire à se rendre à ce genre de dîner. Cette fois-ci, il n'était pas question de prendre contact avec un client potentiel ou de se présenter à l'un des membres influents de la bourgeoisie locale. Lloyd avait été clair sur ce point, il s'agissait d'une réunion purement amicale.

Et Randall Wellingby accompagnerait Emily.

A sa place.

Son estomac se noua à l'idée qu'elle puisse plonger les yeux dans les prunelles bleues de l'Anglais, rire de son humour distingué, lui offrir les sourires qu'il rêvait de lui voir adressés. Il aurait dû mettre les choses au point avec elle dès leur retour, vendredi dernier. Cette semaine avait été la plus longue et la plus pénible de sa vie. Des dizaines de fois, ils s'étaient croisés dans les couloirs sans échanger un mot. Evidemment, il aurait voulu s'arrêter, la pousser dans un bureau vide et lui dire combien il avait envie d'elle.

Mais ce sentiment était-il réciproque ? Si c'était le cas, comment pouvait-elle venir ce soir avec Randall ?

Tout simplement, peut-être, parce qu'il ne lui avait rien dit de ce qu'il éprouvait pour elle.

Il avala sa salive avec peine, puis haussa les épaules et rajusta le col de son manteau. Il fallait qu'il se fasse une raison. Même s'il lui avait fait part de ses sentiments, elle aurait probablement refusé de sortir avec lui. Ils avaient partagé un moment de rare complicité physique, mais elle partirait sans doute en courant s'il lui disait qu'il l'aimait. Elle lui avait suffisamment répété qu'elle ne voulait pas d'une aventure de bureau.

— Jack !

Une voix familière l'interpellait, quelques pas derrière lui.

— Tu n'es pas perdu, quand même ?

Jack se tourna et découvrit Matt Burke, le directeur financier de Wintersoft, qui tenait sa jeune épouse, Sarah, par les épaules.

Il s'obligea à sourire tandis qu'une vague d'envie le traversait. Sarah était la secrétaire de Matt depuis des années, et ils avaient toujours nié l'attirance qu'ils éprouvaient l'un pour l'autre. Mais, à l'automne dernier, ils avaient subitement décidé de se marier, et leur bonheur sautait aux yeux de tous ceux qui les connaissaient.

Il aurait pu vivre la même chose avec Emily.

Un instant, il essaya de se représenter à quoi ressemblerait sa vie s'il était marié à Emily.

Il tourna la tête vers la maison et crut entendre son rire dans le hall brillamment éclairé.

Tout à coup, il comprit. Le dossier de Matt figurait parmi ceux qu'Emily avait consultés. Ce mariage était en partie son œuvre.

Pour éviter d'avoir à se marier elle-même.

— Ça fait un moment que je ne suis pas venu, dit-il pour justifier son hésitation. Et toutes ces maisons de briques se ressemblent en hiver.

— Il paraît que Lloyd a quelque chose d'important à nous dire ce soir, et je ne voudrais manquer ça pour rien au monde, remarqua Sarah, avec un sourire radieux.

Puis elle abandonna les deux hommes pour se précipiter vers le perron.

— Tu as une idée de ce que ça peut être ? demanda Matt.

— Je n'y ai pas vraiment réfléchi.

Evidemment, toutes ses pensées étaient tournées vers Emily.

— Je suis sûr que nous ne tarderons pas à le savoir.

Comme il s'y attendait, ils furent assaillis dès l'entrée par les nouveaux couples qui s'étaient récemment formés chez Wintersoft.

Grant et Ariana Lawson furent les premiers à s'approcher de Matt et Sarah et les deux couples se mirent très vite à parler des jumeaux qu'Ariana venait de mettre au monde. Nate Leeman et Kathryn Sanderson, qui n'allaient pas tarder à se marier, se tenaient près de Brett et Sunny Hamilton, et Jack remarqua que ces derniers échangeaient un discret sourire alors que la conversation portait sur les enfants. Reed et Samantha Connors agitèrent la main dans sa direction et, après un signe de tête courtois, Jack décida d'aller se réfugier dans la cuisine.

Toutes ces démonstrations de bonheur conjugal ne faisaient que souligner le vide de sa vie, et il songea qu'une tasse de café l'aiderait peut-être à affronter la vision d'Emily et de Randall.

En entrant dans la pièce, il découvrit Lloyd et Carmela, qui chuchotaient comme deux conspirateurs.

Postée devant le réfrigérateur ouvert, Emily lui tournait le dos. Elle était vêtue d'une longue robe en satin rouge moulante, qui découvrait audacieusement ses épaules et sa chute de reins.

Plaquant sur son visage un sourire de circonstances, il se tourna vers Lloyd.

— Merci de m'avoir invité. Je suis vraiment ravi d'être là.

Au son de sa voix, Emily fit volte-face, et il remarqua combien elle semblait gênée. Il n'était pas tellement plus à l'aise et, à vrai dire, si Lloyd n'avait pas autant insisté, il ne serait jamais venu ce soir.

— Ça me fait plaisir que soyez là, répliqua Lloyd en lui tapant sur l'épaule. Prenez un verre, et amusez-vous.

— Oui, merci, marmonna-t-il.

Il remarqua qu'Emily avait tressailli. Il suivit son regard, fixé sur la main de Lloyd qui reposait toujours sur son épaule et, pour la première fois, il comprit vraiment combien elle était peinée de voir son père le traiter comme un fils.

Exactement comme Lloyd l'avait fait avec Todd.

Lloyd s'écarta pour se servir un scotch, puis son regard fut attiré par la foule qui se pressait dans les salons de réception.

— Je crois que ça va être la meilleure soirée que j'ai jamais organisée, déclara-t-il. Tous les gens qui me sont chers sont là ce soir.

Soudain, il plissa le front.

— Tiens, c'est curieux. Il y a six mois de cela, tous ces couples ne s'étaient pas encore formés. Je n'avais pas réalisé avant que tous les cadres célibataires de Wintersoft étaient désormais mariés. Sauf vous, mon cher Jack. Ne trouvez-vous pas cela curieux ?

Jack glissa un regard vers Emily, et la panique qu'il vit sur son visage lui serra le cœur. Alors il décida de dire toute la vérité à Lloyd, au moins pour le faire renoncer à ses projets de mariage pour sa fille et lui faire comprendre qu'elle s'en sortait très bien toute seule.

— La raison pour laquelle je ne suis pas marié est simple, commença-t-il. Je n'ai pas voulu en parler jusqu'à maintenant, mais je crois que vous avez le droit de le savoir...

— Papa, tu peux m'aider ? intervint brusquement Emily.

Elle venait d'ouvrir le réfrigérateur et faisait signe à Lloyd de s'approcher.

— Tu n'as qu'à demander à l'employée de maison, protesta ce dernier.

— S'il te plaît.

Il était évident qu'elle voulait l'empêcher de parler, et Jack sentit son admiration pour elle grandir encore. Dans le même temps, il éprouvait une vague culpabilité pour avoir douté d'elle. Jamais elle n'aurait répété à Lloyd ce qu'il lui avait confié.

— Papa ?

La voix d'Emily était cette fois plus assurée.

Jack se passa la main sur le menton.

Il ne pouvait pas insister sans paraître grossier, mais il ne pouvait supporter qu'Emily continue à être la cible des projets de mariage de son père. Une fois que la vérité serait connue à son sujet, elle serait enfin libre. Et c'était plus important pour lui que la crainte de perdre son emploi.

— Je vous laisse, déclara-t-il en se dirigeant vers la porte. On reparlera de ça plus tard, Lloyd.

Ce ne fut que quelques minutes plus tard, alors qu'il discutait avec Brett et Sunny, qu'il prit conscience d'une chose étrange...

Il manquait un invité ce soir.

— Que se passe-t-il, Emily ?

Lloyd se tenait sur le seuil de la bibliothèque, son verre de scotch à la main, et elle rassembla tout son courage.

— Il faut que je te parle, papa.

Il leva les sourcils.

— Au beau milieu de ma réception ?

Emily alla droit au but.

— Je sais que tu apprécies beaucoup Jack Devon...

— C'est bien normal. Ce garçon est un bourreau de travail. Il est honnête, intelligent, fiable... C'est bien simple, je le considère comme mon fils.

— C'est bien ce qui me pose problème, papa.

Emily s'efforça de ne pas laisser la colère altérer sa voix.

— Il est comme ton fils. Todd était comme ton fils. Mais tu ne m'as jamais accordé la même confiance.

Un pli soucieux apparut sur le front de Lloyd. Il posa son verre sur une table d'acajou et prit place dans un fauteuil près de la cheminée.

— Tu es ma fille, Emily, et je t'aime. Tu le sais. Que t'arrive-t-il ?

— Tu as dit toi-même que tu te fiais au jugement de Jack. Mais ce n'est pas le cas avec moi. Je sais que tu m'aimes, mais tu as des préjugés démodés. Tu crois que je ne suis pas capable de prendre ma vie en main, d'assumer les mêmes responsabilités qu'un homme...

— Enfin, Emily ! Tu es mon bras droit. Je ne vois pas quel meilleur poste je pourrais t'offrir.

— Je sais. Mais ce n'est pas uniquement profession-nel.

Elle laissa échapper un soupir de frustration.

— Pourquoi tiens-tu tellement à me voir épouser un de tes collaborateurs ? Une fois de plus. J'ai essayé de te faire comprendre que je n'étais pas d'accord mais, même après l'échec de mon premier mariage, tu as continué...

— Mais d'où sors-tu cette idée que je fais des projets pour toi ?

— Je l'ai deviné.

Elle leva la main pour arrêter toute protestation.

— Et ne me demande pas comment. Tu avais l'intention de demander à tes plus proches collaborateurs de sortir avec moi. Grâce au ciel, ils se sont tous mariés.

— Tu as raison.

Lloyd se laissa aller contre le dossier de son fauteuil, résigné à avouer la vérité.

— Mais ce n'est pas parce que je ne te fais pas confiance, ma petite fille, tu dois me croire. Ou parce que je crois que tu as besoin d'un homme pour prendre soin de toi. Tu t'en sors admirablement toute seule.

Il prit une gorgée de scotch avant de poursuivre.

— Je suis fier de toi, tu sais. Tu es ma plus belle réussite.

Emily soupira. Elle adorait son père, mais il pouvait parfois se montrer tellement exaspérant !

— Mais pourquoi fais-tu ça, alors ? Je n'ai pas besoin de toi pour rencontrer des hommes si j'en ai envie. Et j'ai bien compris où tu voulais en venir avec Jack, quand tu as remarqué qu'il était toujours célibataire.

— Je ne veux que ton bonheur, ma chérie. Je sais que tu veux des enfants, et tu connais les difficultés que ta mère et moi avons rencontrées.

Même après toutes ces années, le chagrin se devinait encore dans les yeux de son père à cette évocation.

— Je ne veux surtout pas que tu vives la même situation. Et tu sais bien qu'en vieillissant, cela devient plus difficile.

Peu désireuse d'évoquer son horloge biologique, Emily l'interrompit.

— Mais cela n'explique pas pourquoi tu veux que j'épouse quelqu'un de Wintersoft.

— Parce que je sais qu'ils te comprennent. Prends Jack Devon, par exemple.

— Non, merci.

— C'est ça, ironise ! C'est juste un exemple. Jack est tout dévoué à l'entreprise. Je sais que tu voudras continuer à travailler même en ayant des enfants. Et qui pourrait mieux le comprendre qu'une personne qui travaille déjà ici ?

— Todd n'était pas du même avis, souligna-t-elle. Il voulait juste épouser la fille du patron, et il se moquait bien de ce que je pouvais souhaiter.

— J'avoue que je me suis trompé à son sujet. Mais Jack n'est pas comme lui.

— Laisse-moi m'occuper de ça toute seule. D'accord ?

— Mais...

— S'il te plaît. Tu n'as jamais songé que tous ces couples auxquels tu faisais allusion se sont mariés pour une raison bien précise ? Qu'il existait pour chacun une personne idéale et qu'il ne fallait pas forcer le destin ?

Même si elle avait en quelque sorte poussé tous ces couples dans la bonne direction, elle savait qu'aucun d'eux n'aurait pris la décision de se marier s'ils ne s'aimaient pas vraiment.

— En outre, dit-elle lentement pour que son père s'imprègne de chaque mot, même si deux personnes se côtoient tous les jours et semblent faites l'une pour l'autre, il faut souvent des années pour qu'un sentiment amoureux se développe. Il faut se montrer prudent et ne pas chercher à précipiter les choses.

Ils restèrent quelques secondes à se mesurer du regard.

Des rires et des exclamations ponctuaient le brouhaha des voix et montaient jusqu'à eux, mêlés à un fond musical que distillait un équipement hi-fi sophistiqué.

Un sourire se dessina lentement sur le visage de Lloyd.

— Eh bien, tu vois, ma petite fille, quand tu présentes les choses comme ça, je n'ai plus qu'à m'incliner.

Il se leva et attira sa fille dans ses bras.

— Emily, crois-moi, je n'ai jamais été aussi en accord avec toi que ce soir. Et si j'ai pu te faire croire que je ne t'aimais pas ou que j'aurais préféré avoir un fils, je te demande pardon. Et je te promets de ne plus intervenir dans ta vie privée.

— Merci, papa.

Un immense soulagement s'empara d'elle tandis qu'elle rendait à son père son accolade.

— Et moi aussi je te demande pardon pour t'avoir jugé trop vite. Je sais que tu ne voulais que mon bien.

— Quand même, je pense sincèrement que Jack…

Emily s'écarta et lui adressa un regard d'avertissement.

Il leva la main, avant d'éclater de rire.

— J'ai promis !

Emily n'osait y croire. Après des années de lutte, son père allait vraiment jeter l'éponge et lui permettre de vivre sa vie comme elle l'entendait ?

— Allez viens, dit-il en la poussant gentiment vers

la porte. Ne faisons pas attendre plus longtemps nos invités.

Comme ils entraient dans le salon, une main autoritaire saisit le coude d'Emily.

— Suis-moi !

11.

Jack entraîna Emily à travers la foule et prit à peine le temps de répondre aux personnes qui le saluaient.

Il ne desserra l'étau de fer qui encerclait le bras d'Emily que lorsqu'ils furent seuls dans le couloir qui menait à l'escalier de service.

— Que se passe-t-il ? s'inquiéta Emily.

Il n'en savait rien lui-même.

Mû par une soudaine impulsion, il l'entraîna dans l'escalier. Puis il tourna à droite vers la porte qui ouvrait sur une véranda en terrasse, d'où on avait une vue exceptionnelle sur Charles River et l'esplanade. Lloyd y donnait souvent des réceptions en été et Jack y avait célébré de nombreux 4 Juillet. C'était l'endroit idéal pour admirer le feu d'artifice et suivre la parade militaire.

Aujourd'hui, en plein cœur de l'hiver, les coussins des sièges en teck avaient été retirés, les plantes avaient été transférées dans une serre chaude, et il se dégageait de l'immense pièce vide et froide une atmosphère presque inquiétante.

— Excuse-moi de t'avoir arrachée à tes invités, mais...

Jack se tourna vers Emily, le regard déterminé.

— Il faut que nous parlions.

— Tu n'es pas obligé de parler de ton enfance à mon père, répliqua Emily.

Jamais elle ne s'était sentie aussi mal à l'aise, et sa voix résonnait étrangement à ses oreilles.

— C'est bien ce que tu allais lui dire dans la cuisine, je me trompe ?

— Non.

Jack passa une main nerveuse dans ses cheveux et se dirigea vers une des fenêtres.

— Pourquoi ?

— J'ai mes raisons.

— Mais encore ?

Un pli soucieux barrait son front quand il se retourna vers elle.

— D'abord, ce n'est pas honnête vis-à-vis de lui. Si ça s'apprenait, sa réputation en souffrirait également. Imagine qu'un journal à scandale révèle qu'un de ses cadres traîne une histoire d'addiction au jeu.

— Ce n'est pas ton histoire. C'était un cas individuel. Ton père est mort, et tu n'es pas comme lui.

Elle traversa la pièce, et ses talons résonnèrent avec force sur le pavage de terre cuite.

— Ecoute, Jack…

Incapable de résister plus longtemps à l'envie de le toucher, elle lui posa la main sur le bras.

— Si tu as vraiment envie de lui en parler, je ne peux pas t'en empêcher. Mais je peux t'affirmer que ça ne changera rien pour lui. Quoi que tu penses, tu n'es pas un danger pour l'entreprise. Tu es même l'un de ses meilleurs éléments. Mon père me l'a encore répété il n'y a pas cinq minutes.

140

Il poussa un soupir et s'écarta de quelques pas.

— Il y a autre chose, Emily.

— Mais quoi ? Quelle autre raison pourrais-tu avoir ?

— C'est entre ton père et moi.

Il avait les yeux rivés sur la Charles River, dont les eaux noires offraient une masse menaçante dans la nuit sombre de février. Les lumières jaunes de Cambridge illuminaient la rive et créaient des ombres effrayantes dans la véranda.

— Ecoute, reprit-il. Je ne t'ai pas amenée ici pour parler de ta famille, ou de la mienne. J'ai besoin de savoir…

— Non ! l'interrompit-elle. Terminons-en d'abord avec ce sujet. Je crois que je commence à y voir plus clair. Tu t'imagines sans doute que si tu parles à mon père de ton enfance, il cessera de te considérer comme un candidat idéal au mariage et me laissera tranquille ? Tu sais combien je déteste qu'il se mêle de ma vie et, comme tu es le dernier célibataire parmi ses plus proches collaborateurs, tu t'es dit qu'en lui révélant ton secret, il te trouverait indigne de sa précieuse fille.

— Tu as une imagination débordante.

— Je ne crois pas. C'est pour cette raison que tu as amené le sujet dans la cuisine. Au moment où il remarquait le nombre étonnant de personnes qui s'étaient mariées cette année, et soulignait que tu étais toujours célibataire.

Elle lut sur son visage que sa théorie était exacte, et elle lui sourit dans l'espoir de le dérider.

— Autrefois, je me serais sans doute sentie offensée, mais maintenant que je te connais, je trouve cette réaction adorable. Merci, Jack.

— Je n'essayais pas de me montrer héroïque, tu sais. J'avais l'intention de lui dire un jour ou l'autre, de toute façon.

Il haussa les épaules, puis chercha son regard.

— Mais j'ai pensé que le moment était bien choisi puisque Randall était avec toi.

— Il n'était pas avec moi.

— Je sais. Je m'en suis rendu compte après que tu as disparu avec ton père.

Il enfonça les poings dans les poches de son pantalon et, une fois de plus, Emily sentit son cœur s'accélérer tandis qu'elle l'observait.

Il était d'une beauté à couper le souffle. La pénombre donnait à ses traits une aura mystérieuse et faisait danser des ombres dans ses yeux gris.

Comment aurait-elle pu le regarder sans penser à leur étreinte devant le feu de cheminée ?

Comment aurait-elle pu ne pas l'aimer ?

— Jack...

Elle hésitait à poursuivre et prit le temps de bien peser ses mots.

— Tu voulais juste mettre un terme aux manigances de papa ? Ou bien, y avait-il une autre raison ?

— Je te le dirai si tu me dis pourquoi Randall n'est pas là.

Il fit un pas vers elle, les mains toujours enfoncées dans les poches.

— Grant Lawson m'a appris que ABG faisait officiellement partie des nouveaux clients. Tu l'as appelé cet après-midi pour qu'il prépare les contrats.

— C'est exact.

Elle ne pouvait s'empêcher d'éprouver de la fierté devant une telle réussite.

— Notre démonstration sur le stand et la documentation que nous lui avons fournie a donné à Randall suffisamment d'éléments pour convaincre sa direction.

— Je suis content pour toi.

Le sourire de Jack se reflétait dans ses yeux, et elle comprit qu'il était sincère.

— Merci.

— Alors pourquoi n'est-il pas venu ?

Elle scruta le visage de Jack, cherchant à lire sur ses traits jusqu'où elle pouvait aller.

— Je sais qu'il était ravi de cette invitation, mais ça ne m'a pas semblé très convenable.

— Même si c'est Lloyd qui te l'avait demandé ?

Elle secoua la tête.

— Ce n'était pas bien. Randall est un très gentil garçon, mais je ne voulais pas qu'il se fasse des idées. Je crois que tu avais raison quand tu disais qu'il s'intéressait à moi. Alors j'ai annulé et je lui ai dit que nous nous verrions à New York. A son bureau, pas au restaurant. Je ne voulais pas lui donner de faux espoirs, et...

Elle haussa les épaules.

— Enfin, tu comprends.

Jack sortit les mains de ses poches et la saisit aux épaules.

— Je veux savoir la suite, Emily. Dis-moi quelle est l'autre raison.

C'était le moment où jamais.

Elle ferma un instant les paupières pour rassembler ses esprits. Puis elle chercha le regard de Jack.

— Si tu veux tout savoir, je ne voulais pas qu'il se sente aussi mal que moi durant toute cette semaine. Je ne voulais pas qu'il tombe amoureux, comme cela m'est arrivé, alors que ce n'était pas réciproque.

La main de Jack remonta doucement jusqu'à sa nuque, puis vint lui caresser la joue.

— Tu es amoureuse de moi ?

Un poids énorme lui pesait sur la poitrine, et elle se contenta de hocher la tête, de peur que sa voix ne la trahisse.

— Mais c'est formidable ! Moi aussi, j'ai vécu la semaine la plus épouvantable de toute ma vie.

Emily n'eut pas le temps d'assimiler l'information que, déjà, les lèvres de Jack étaient sur les siennes.

C'était le baiser le plus délicat et le plus doux qu'elle ait jamais reçu, et il emplit son cœur de bonheur.

— Je t'aime, Emily, dit-il en prenant son visage en coupe dans ses mains. Je suis attiré par toi depuis des années, mais je n'ai cessé de me chercher des excuses pour ne pas tomber amoureux. J'ai même essayé de me convaincre que notre escapade à Reno ne signifiait rien pour toi, et que, dès notre retour, tu t'empresserais de parler de ma famille à ton père. Evidemment, tu n'en as rien fait. Tu n'es pas comme ça.

Emily s'efforça de dissiper la boule d'émotion qui lui nouait la gorge tandis qu'il l'enveloppait d'un regard adorateur.

— Tu es une femme unique, Emily Winters. Tu es belle, intelligente, et tu te soucies de ceux qui t'entourent bien plus que tu n'es prête à l'admettre. Tu as voulu te persuader que tu jouais les marieuses pour échapper aux manigances de Lloyd. Mais je sais qu'il y a autre chose.

Je t'ai vu accomplir des miracles pour rendre les gens heureux autour de toi. Et c'est ce que tu as cherché à faire avec tous ces couples. Peut-être pour compenser ton échec avec Todd. Mais toi aussi, tu as le droit d'être heureuse. Tu peux l'être, Emily. Avec moi.

Des larmes de bonheur perlèrent aux cils de la jeune femme, sans qu'elle pût rien faire pour les retenir.

Elle parvint cependant à sourire et à plaisanter.

— Toi, le célibataire le plus convoité de la ville, tu es amoureux de moi ? Tu sais que je n'aime pas m'afficher dans les lieux à la mode ?

— Ce n'était qu'une blague. Un de mes anciens camarades de fac devait écrire cet article et il a eu l'idée de me mettre dans la liste. Il pensait sans doute me faire une faveur en me faisant passer pour un play-boy.

— Et je suppose que tu en as bien profité ?

Pour toute réponse, il l'embrassa de nouveau et Emily s'abandonna aux mains expertes qui caressaient son dos, la plaquait contre ce corps viril, et à ces lèvres qui la butinaient avec une délicieuse habileté.

— Je t'aime, murmura Jack, quand leurs lèvres se séparèrent. Je t'aime tellement.

— Moi aussi je t'aime, chuchota Emily en retour.

— En fait, expliqua-t-il d'une voix basse et intime, j'ai toujours désiré ce que je n'avais jamais connu dans mon enfance. Une vie de famille harmonieuse et équilibrée. Jusqu'ici, c'était un rêve impossible. Mais, avec toi, je sais que ça peut devenir une réalité.

Une clarinette égrena soudain sa complainte, tandis que dans les salons la stéréo jouait un vieux standard de jazz.

Emily tourna la tête vers la porte. Tous ses collègues étaient réunis à quelques mètres de là. Des gens qui s'immisceraient dans sa vie, qui voudraient savoir si sa relation avec Jack aurait la même fin tragique que son mariage avec Todd. Elle savait qu'une telle chose était impossible. Jack et Todd ne se ressemblaient en rien.

Et pourtant, quelque chose la faisait hésiter.

Elle se tourna vers Jack et vit que lui aussi fixait la porte.

— Ça ne va pas être facile de sortir ensemble tout en continuant à travailler dans la même entreprise, remarqua-t-elle. Surtout après ce qui s'est passé avec Todd.

Elle posa la main sur son torse et Jack sentit son pouls s'accélérer au contact de ses doigts délicats.

— Mais je ne peux pas vivre sans toi non plus, conclut-elle.

— Je n'ai jamais parlé de sortir ensemble, répliqua Jack en posant la main sur la sienne.

Il voulait vivre le reste de sa vie avec elle. Passer toutes ses journées et toutes ses nuits avec elle, avoir des enfants, et devenir un vieux couple toujours aussi follement amoureux.

— Marions-nous.

— Quoi ?

La surprise passée, la lèvre inférieure d'Emily se mit à trembler.

Le message qui passait dans le regard de Jack contenait tout ce qu'elle avait tant attendu : l'amour, la confiance et la compréhension.

Elle sentit son cœur se dilater de joie, mais n'osa croire totalement à son bonheur.

— Ce n'est pas un peu précipité ?

— Je peux attendre, s'il le faut. Mais je sais que tu es la femme dont j'ai toujours rêvé. Tu es la seule qui me comprenne, qui m'oblige à me remettre en question… Et, puisque nous en sommes aux confidences…

Il lui adressa un clin d'œil taquin.

— Jamais aucune femme ne m'a fait autant d'effet que toi. Et je sais qu'il en sera toujours de même tout le long de notre vie.

— Je croyais que tu ne voulais pas te marier.

Malgré sa nervosité apparente, la voix d'Emily était ferme, et il comprit qu'il avait intérêt à lui donner la bonne réponse, faute de quoi il la perdrait à jamais.

— C'est ce que je croyais jusqu'à la semaine dernière.

Il prit une profonde inspiration et s'exhorta au calme. Il ne voulait pas qu'Emily sente les battements désordonnés de son cœur sous ses doigts et interprète cette réaction comme une manifestation d'hésitation.

Tous les doutes qu'il pouvait encore avoir s'étaient envolés en franchissant le seuil de cette maison, alors qu'il s'attendait à trouver Randall en train de faire la cour à la seule femme qu'il ait jamais eu envie d'épouser.

— Tu m'as ouvert les yeux, Emily. Tu m'appris que la réussite sociale ne servait à rien sans amour. J'ai commencé à le comprendre quand je me suis réveillé devant la cheminée et que tu n'étais plus là. Dans cette pièce silencieuse et désespérément vide, j'ai commencé à entrevoir ce que serait ma vie sans toi. Et j'en ai eu la certitude une fois de retour à Boston. Cette pensée m'obsédait jour et nuit, au point même de me faire commettre des erreurs dans mon travail. Je n'avais plus de goût à rien. Tout ce que je voulais, c'était être avec toi et te rendre heureuse. Je t'aime, Emily, et je suis prêt à faire n'importe quoi pour que tu passes le reste de ta vie avec moi.

Sans lui lâcher la main, il mit un genou au sol.

Son cœur se dilatait d'anxiété à l'idée que le bonheur était si proche et qu'il pouvait lui échapper, et un immense espoir passait dans son regard.

— Epouse-moi, Emily.

Elle plissa le front, mais elle arborait un sourire radieux.

— Tu veux des fiançailles qui durent combien de temps ? Dans l'idéal, évidemment.

— Je ne sais pas... Aussi longtemps que tu voudras.

— Est-ce qu'une semaine te conviendrait ? Si tu y tiens absolument, je peux aller jusqu'à un mois...

Jack sentit son pouls résonner à ses tempes, tandis qu'une joie immense l'envahissait, et un sourire encore incrédule éclaira son visage.

— Alors, tu es d'accord ? Tu veux bien être ma femme ?

— Oh oui, Jack. C'est mon vœu le plus cher.

Elle lui tendit les lèvres, et ils s'embrassèrent longuement, passionnément.

Quand ils se séparèrent, Jack repoussa une mèche de cheveux qui tombait sur le front d'Emily, et lui embrassa le bout du nez.

— Tu ne trouves pas que c'est un peu court, une semaine ?

— Je plaisantais. Tu connais mon père... Il voudra organiser une immense cérémonie, quelque chose de vraiment grandiose... Et, telle que je la connais, Carmela y mettra aussi son grain de sel.

Jack éclata de rire, sachant qu'elle disait vrai.

Emily fit doucement courir son index le long de sa mâchoire, et le regard attendri dont elle l'enveloppait le transporta de bonheur.

— Mais que ce soit dans une semaine ou dans un an, dans l'intimité ou en grandes pompes, je serai heureuse de vous épouser, monsieur Devon.

— Comment est ma coiffure ? demanda Emily.

Jack et elle se tenaient en haut de l'escalier et l'animation qui montait des salons leur indiquait que la fête battait son plein.

— Tu es un peu rouge.

Une lueur taquine éclairait son regard tandis qu'il rajustait la bretelle de sa robe.

— Mais ça te va bien. Et puis, si quelqu'un devine à quoi nous avons été occupés durant la dernière demi-heure, est-ce vraiment si important ?

Un sourire apparut sur les lèvres d'Emily, tandis qu'elle le dévorait des yeux. *Son fiancé.* Elle allait vraiment épouser cet homme merveilleux.

— Non, répondit-elle. Je suppose que non. Dépêchons-nous quand même. Je pense que le dîner ne va pas tarder à être servi.

— Ah, vous voilà, tous les deux, s'exclama Lloyd quand ils firent leur entrée dans la salle à manger. Je n'attendais plus que vous pour porter un toast.

Il tapa dans ses mains et réclama le silence.

— Mes chers amis, commença-t-il. Je vous ai invités ce soir pour une raison bien particulière. Pour célébrer des fiançailles.

Emily eut un hoquet de surprise et Jack se sentit rougir.

Aussitôt, Carmela poussa un petit cri et joignit les mains.

— Je le savais ! Vous êtes ensemble.

Tous les yeux se tournèrent vers Jack et Emily.

— C'est la première fois que je vous vois rougir, Devon, commenta Lloyd. J'en déduis donc que c'est vrai.

Des sifflets d'encouragements et des applaudissements montèrent de la foule des invités.

— Nous en discuterons plus tard, glissa discrètement Lloyd à sa fille.

Puis il réclama de nouveau le silence.

— Comme vous le voyez, déclara-t-il, c'est une surprise pour moi aussi.

— Mais alors, demanda Brett Hamilton, quelles fiançailles célébrons-nous ?

— Les miennes, répliqua Lloyd, tout sourire. Vous êtes tous invités à mon mariage qui sera célébré ici même cet été. J'épouse Carmela Lopez.

— Non ! s'écria Emily.

Les yeux emplis de larmes, elle se jeta dans les bras de Carmela.

— Je n'y crois pas. Espèce de cachottière !

— J'en déduis que c'est une bonne nouvelle ? demanda Carmela d'un ton hésitant.

150

— Ma chère Carmela, je crois que ce sont les meilleures fiançailles que vous ayez organisées. A une exception.

— Ah, tu vois ! intervint Lloyd. Je t'avais bien dit que Jack était un homme pour toi.

Emily se tourna vers l'homme qu'elle aimait plus que tout au monde et les larmes qu'elle retenait se mirent à couler sur ses joues.

De sa main libre, Lloyd asséna une claque sur l'épaule de Jack et de l'autre il leva son verre.

— A Wintersoft, et à chacune des personnes qui sont réunies dans cette pièce. Nous sommes plus qu'une entreprise, nous sommes une famille. Et, à l'image d'une famille, j'espère que nous continuerons à connaître le succès, la joie et l'amour.

Tandis que Jack se penchait sur elle pour l'embrasser, Emily entendit cinquante voix crier à l'unisson.

— Et l'amour !

Le nouveau visage de la collection Or

◆

AMOURS D'AUJOURD'HUI

Afin de mieux exprimer sa modernité et de vous séduire encore davantage, votre collection Or a changé de couverture et de nom depuis le 1er mars 1995.

Rassurez-vous, les romans, eux, ne changent pas, et vous pourrez retrouver dans la collection **Amours d'Aujourd'hui** tous vos auteurs préférés.

Comme chaque mois, en effet, vous y attendent des héros d'aujourd'hui, aux prises avec des passions fortes et des situations difficiles...

COLLECTION
AMOURS D'AUJOURD'HUI :
Quand l'amour guérit des blessures de la vie...

Chère lectrice,

Vous nous êtes fidèle depuis longtemps?
Vous venez de faire notre connaissance?

C'est pour votre plaisir que nous avons
imaginé un rendez-vous chaque mois
avec vos auteurs préférés, vos
AUTEURS VEDETTE dans les
collections Azur et Horizon.

Les AUTEURS VEDETTE vous
donneront rendez-vous pour de
nouveaux livres vedette.

Pour les reconnaître, cherchez
l'étoile... Elle vous guidera!

Éditions Harlequin

HARLEQUIN

LE FORUM DES LECTEURS ET LECTRICES

CHERS(ES) LECTEURS ET LECTRICES,

VOUS NOUS ETES FIDÈLES DEPUIS LONGTEMPS?

VOUS VENEZ DE FAIRE NOTRE CONNAISSANCE?

SI VOUS AVEZ DES COMMENTAIRES, DES CRITIQUES À
FORMULER, DES SUGGESTIONS À OFFRIR, N'HÉSITEZ
PAS… ÉCRIVEZ-NOUS À:
      LES ENTERPRISES HARLEQUIN LTÉE.
      498 RUE ODILE
      FABREVILLE, LAVAL, QUÉBEC.
      H7R 5X1

C'EST AVEC VOS PRÉCIEUX COMMENTAIRES QUE NOUS
ALLONS POUVOIR MIEUX VOUS SERVIR.

DE PLUS, SI VOUS DÉSIREZ RECEVOIR UNE OU
PLUSIEURS DE VOS SÉRIES HARLEQUIN PRÉFÉRÉE(S)
À VOTRE DOMICILE, NE TARDEZ PAS À CONTACTER LE
SERVICE D'ABONNEMENT; EN APPELANT AU
(514) 875-4444 (RÉGION DE MONTRÉAL) OU 1-800-667-4444
(EXTÉRIEUR DE MONTRÉAL) OU TÉLÉCOPIEUR
(514) 523-4444 OU COURRIER ELECTRONIQUE:
AQCOURRIER@ABONNEMENT.QC.CA OU EN ÉCRIVANT À:
      ABONNEMENT QUÉBEC
      525 RUE LOUIS-PASTEUR
      BOUCHERVILLE, QUÉBEC
      J4B 8E7

MERCI, À L'AVANCE, DE VOTRE COOPÉRATION.

BONNE LECTURE.

HARLEQUIN.

VOTRE PASSEPORT POUR LE MONDE DE L'AMOUR.

L'ASTROLOGIE EN DIRECT
TOUT AU LONG
DE L'ANNÉE.

(France métropolitaine uniquement)
Par téléphone 08.92.68.41.01
0,34 € la minute (Serveur SCESI).

Composé et édité par les
éditions Harlequin
Achevé d'imprimer en mai 2005

BUSSIÈRE
GROUPE CPI

à Saint-Amand-Montrond (Cher)
Dépôt légal : juin 2005
N° d'imprimeur : 51188 — N° d'éditeur : 11355

Imprimé en France

HARLEQUIN

COLLECTION
ROUGE PASSION

- Des héroïnes émancipées.
- Des héros qui savent aimer.
- Des situations modernes et réalistes.
- Des histoires d'amour sensuelles et provocantes.

LAISSEZ-VOUS TENTER
par 3 titres irrésistibles
chaque mois.